KB171858

이재명 시대의 탄생

이재명 시대의 탄생

발　행 | 2024년 06월 12일
저　자 | 오봉석
펴낸이 | 한건희
펴낸곳 | 주식회사 부크크
출판사등록 | 2014.07.15.(제2014-16호)
주　소 | 서울특별시 금천구 가산디지털1로 119 SK트윈타워 A동 305호
전　화 | 1670-8316
이메일 | info@bookk.co.kr

ISBN | 979-11-410-8949-8

www.bookk.co.kr

이재명 시대의 탄생

오봉석 지음

추천의 글

정치와 언론에 관심있는 사람이라면 누구나 관심있는 주제에 대해 알기 쉽게 풀어 주어서 단숨에 읽을 수 있었습니다. 원고를 집필하기 위해 방대한 양의 내용을 정리하느라 자료 준비, 인터뷰 등 저자가 쏟은 수많은 시간과 노력이 느껴졌습니다.

22대 국회의 국회의원으로 정치를 시작하는 저에게 죽비와 같은 저자의 성찰과 분석에 박수를 보냅니다. 특히, 검찰-언론-진보 3각 매커니즘과 21세기 진보를 4분면 지도로 만든 아이디어가 가장 돋보입니다. 오랜 진보운동의 경험적 성찰과 저자 특유의 독창적인 관찰력이 빚어낸 결과물일 것입니다.

이렇게 훌륭한 책의 추천사를 저에게 맡겨 주어서 한편 감사하고 한편 황송하기도 합니다. 책에서 밝히고 있듯이 21세기 진보의 정치를 저와 같은 정치인들이 책임지고 해나가라는 십자가로 받아들입니다. 감사합니다.

2024년 6월

국회의원 이정헌

저자와는 오랜 인연입니다.

갓 대학을 졸업하고 전국농민회총연맹이라는 농민단체에서 저자를 만났습니다.

동갑내기인 저자와 저는 월급이라기 보다는 한 달 100만 원도 안 되는 활동비를 받았지만 돈 받고 운동할 수 있다는 자부심으로 주말도 없이 워커홀릭처럼 일했습니다. 정신없이 바쁜 상황에서도 저자는 늘 사색하고 차분히 자기 일을 하는 사람이었습니다.

요란하지 않고 자신의 길을 뚝심 있게 걸어가는 친구의 경험과 분석을 담은 책이 나온다니 반가웠습니다. 저자가 청춘을 바친 진보정당에 대한 비판과 진보의 불편한 진실 등 솔직한 이야기에 깊이 공감합니다. 중요한 것은 민주화 이후 진보의 가치와 세력을 누가 무엇으로 어떻게 만들어 가느냐는 것일 것입니다.

오랜 벗 저자의 출간을 축하드리며 이 책이 21세기 진보의 미래비전을 준비해 세상을 바꾸는데 기여하길 기대합니다.

2024년 6월

더불어민주당 영천청도지역위원장 이영수

서문

천만 영화는 절대로 안본다는 사람들이 있다.
상업적인 천만 영화 대신 작품성 있는 독립영화를 선호한다는 사람들이다.

월드컵이나 올림픽은 안본다는 사람들도 있다.
국뽕에 취한 월드컵이나 올림픽이 세상의 진실로부터 사람들의 눈과 귀를 가린다고 생각하기 때문이다.

천만영화 대신 독립영화를 본다고 해서 다른 사람들에게 피해를 주지는 않는다. 오히려 영화의 다양성을 뒷받침한다는 점에서 긍정적인 측면이 있다.

월드컵이나 올림픽을 시청하지 않는다고 해서 문제가 발생하지는 않는다. 국가 대항 스포츠가 국가주의를 심화시킨다는 주장도 일정 부분 일리가 있기 때문이다.

그런가 하면, 국민의힘 계열 정당(이하 국민의힘)에는 관대하면서 민주당 계열 정당(이하 민주당)에는 유독 가혹한 사람들이 있다.

보수를 표방하는 사람이나 태극기 집회에 참여하는 사람이라면 이해가 된다. 문제는 진보를 표방하는 언론인, 정당인, 지식인들 중 의외로 많은 사람들이 이런 부류에 해당한다는 사실이다.
진보를 표방하는 사람들이 국민의힘에는 관대하면서 유독 민주당에만 가혹하다고 해서 세상에 무슨 문제가 발생할까? 표현의 자유가 있는 나라에서 뭐라고 주장하건 다른 사람이 상관할 일인가? 나와 우리 가족이 먹고 사는데 무슨 영향이 있나?

안타깝지만 영향이 있다. 사회 여론의 왜곡현상이 발생한다. 처음에는 검찰이나 보수정당 일각의 일방적 주장으로 취급될 수 있는 이슈들이 언론을 통해 확대 유통되고 이른바 진보를 자처하는 정당과 언론, 지식인들을 통해 검증되면 전혀 다른 문제가 된다. "거 봐라, 너네 같은 진보안에서도 조국, 박원순, 이재명에 대해 저렇게 욕하지 않느냐?" 왜곡은 진실이 되고 가짜진실은 무서운 태풍이 되어 세상을 뒤집어 버린다. 2022년 대선이 그렇다. 불과 0.73% 차이의 결과는 전혀 다른 세상을 만들었다. 무엇보다 경기 침체가 심각하다. 그렇다. 나와 우리 가족의 먹고 사는 문제에 영향을 준다.

이 책의 1부 '민주화시대 진보의 역습'에서는 2019년부터 2023년까지 4년 동안 한국사회에서 벌어진 주요 이슈들을 대상으로 이른바 진보를 자처하는 사람들이 여론을 어떻게 왜곡시켰는지 살펴본다. 해당 이슈가 언론을 뒤덮을 때에는 열받고 분노했던 사안들인데 시간이 조금 지나 객관적으로 돌아보면 우리 사회가 무언가에 홀렸었다는 사실을 깨닫게 된다.

2부 '가짜진보'에서는 그렇다면 한국진보가 여론 왜곡에 동참한 이유에 대해 살펴본다. 아마도 많은 사람들이 가장 궁금해 하는 대목일 것이다. 2부의 집필에는 필자의 경험이 상당 부분 녹아있다. 20대 학생운동부터 시작해 진보정당까지 30여년 가까이 진보운동을 해왔던 필자의 성찰이 바탕에 깔려있다.

3부 '담론여행'에서는 21세기 현재와 미래를 관통하는 진정한 진보란 무엇일까에 대해 살펴본다. 필자의 역량을 넘어서는 묵직한 주제인 만큼 이 분야에 누구보다 관심과 경험이 있는 분들의 의견을 청취했다. 어려운 인터뷰에 응해주신 분들에게 진심으로 감사드린다. 인터뷰의 결과를 키워드 중심으로 1차 분류하고 분류된 키워드 주제에 대한 FGI(포커스 그룹 인터뷰)를 실시하였다. FGI는 21세기 진짜진보를 만들어 나갈 것으로 예상되는 97세대(1990년대 학번 70년대생) 및 MZ세대(2030세대) 그룹과 대학생 그룹으로 나누어 진행했다.

4부 '이재명 시대의 탄생'은 탐구의 결론이라기 보다는 사회적 화두의 제시라고 이해해 주면 좋겠다. 국내외 정치·경제·인권·문화의 변화를 관찰하며 이 거대한 변화에 가장 어울리는 키워드로 찾은 것이 이재명이었다. 민주화 이후 한국사회 진보의 담론에 가장 적합한 #미래지향적이고 #실용적인 인물로 이재명보다 더 적합한 사람이 있을까 싶다.

책의 집필에는 1년 반이 걸렸지만 이 주제에 관심을 갖고 틈틈이 글을 쓴 기간은 약 5년이 걸렸다. 서초동과 광화문에서 뜨겁게 맞붙었던 2019년 가을의 조국대전(조국사태)이 가장 큰 계기였다. 누군가는 이 숙제를 매듭지어야 한다고 생각했다. 미약하지만 30여 년 진보운동가의 삶을 살아온 필자가 십자가를 짊어지겠다고 펜을 집어 들었다. 2022년 3월 9일 밤부터 다음 날 새벽까지 씻을 수 없는 패배감에 잠을 설치셨을 16,147,738명에게 이 책을 바친다.

2023년 봄, 원고 집필을 시작하며

오봉석

차례

표와 그림 목록

<섹터1> 민주화 시대 진보의 역습

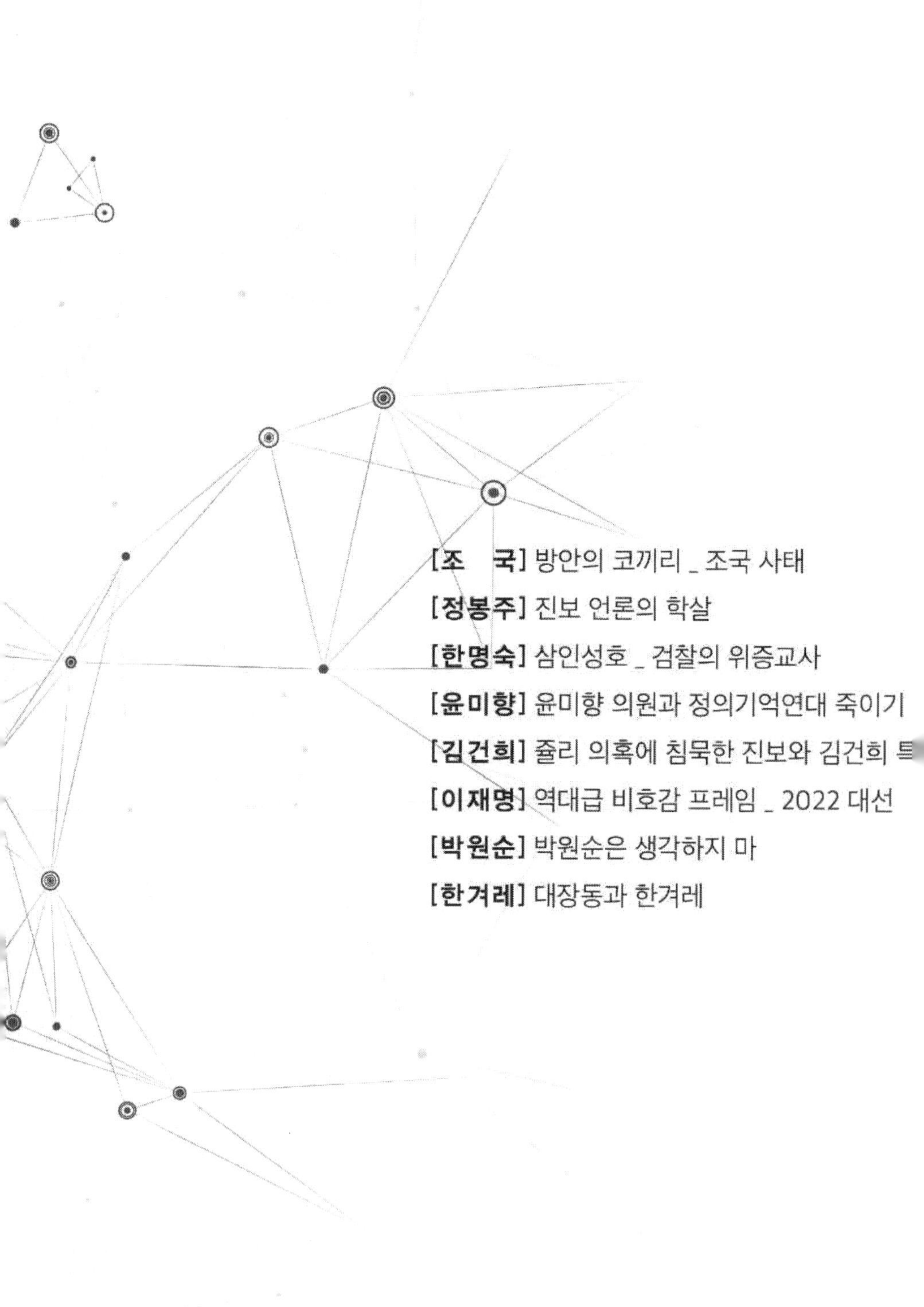

[조　국] 방안의 코끼리 _ 조국 사태

[정봉주] 진보 언론의 학살

[한명숙] 삼인성호 _ 검찰의 위증교사

[윤미향] 윤미향 의원과 정의기억연대 죽이기

[김건희] 쥴리 의혹에 침묵한 진보와 김건희 특

[이재명] 역대급 비호감 프레임 _ 2022 대선

[박원순] 박원순은 생각하지 마

[한겨레] 대장동과 한겨레

[2018년-2023년 검찰(언론)발 주요정치인 사건 일지]

- 2018.03.07 ▸ 정봉주 전 의원 성추행혐의 최초보도 / 프레시안 최초보도
- 2018.07.23 ▸ **노회찬 의원 사망 / 불법 정치자금 수수 의혹(특검 수사 진행중)**
- 2019.01.30 ▸ 김경수 경남도지사 1심 법정구속 / 업무방해죄
- 2019.08.09 ▸ 조국 법무부장관 임명
- 2019.08.27 ▸ 조국 법무부장관 후보자 압수수색
- 2019.09.06 ▸ 조국 법무부장관 인사청문회 / 조국 아내, 정경심 교수 기소
- 2019.09.09 ▸ 안희정 충남도지사 3년6월 실형 선고 / 업무상 위력에 의한 간음죄
- 2019.10.14 ▸ **조국 법무부장관 사퇴**
- 2019.10.25 ▸ 정봉주 전 의원 1심 무죄 선고 / 대학생 성추행 혐의
- 2020.05.07 ▸ 윤미향 정의기억연대 사태 발생 / 이용수 전 정대협 공동대표, 윤미향 기부금 횡령의혹 제기
- 2020.06 ▸ 한명숙 전 국무총리, 강압조작수사 의혹 재조명 / 뉴스타파, 한만호 비망록 공개
- 2020.07.09 ▸ **박원순 서울시장 사망 / 성폭력처벌법위반 혐의 피소**
- 2020.12.23 ▸ 조국 아내, 정경심 교수 법정구속 / 자녀 입시비리 혐의 등
- 2021.01.27 ▸ 정봉주 전 의원 2심 무죄 선고 / 대학생 성추행 혐의
- 2021.04.29 ▸ 정봉주 전 의원 3심 무죄 선고 / 대학생 성추행 혐의
- 2021.06.08 ▸ 윤미향 의원 제명 (더불어민주당)
- 2021.07.21 ▸ 김경수 경남도지사 3심 확정 / 징역2년, 도지사직 상실
- 2021.08.31 ▸ 이재명, 대장동 개발의혹 최초 보도 / 경기경제신문
- 2022.01.27 ▸ 정경심 교수 3심 선고 : 징역4년 / 자녀 입시비리 혐의 등
- 2023.01.10 ▸ 이재명 대표, 검찰 1차 출석 / 성남FC 제3자 뇌물 의혹
- 2023.01.28 ▸ 이재명 대표, 검찰 2차 출석 / 대장동 개발 특혜 의혹
- 2023.02.10 ▸ 이재명 대표, 검찰 3차 출석 / 대장동 개발 특혜 의혹
- 2023.02.10 ▸ 윤미향 1심 선고 : 벌금형
- 2023.02.27 ▸ 이재명 대표, 국회 체포동의안 부결
- 2023.05.14 ▸ 김남국 의원, 더불어민주당 탈당 / 가상화폐 보유 논란
- 2023.07.12 ▸ 조국 장녀 조민, 의사면허 취소 / 고려대 생명과학대학, 부산대 의학전문대학원 입학취소
- 2023.08.17 ▸ 이재명 대표, 검찰 4차 출석 / 백현동 개발 특혜 의혹
- 2023.08.31 ▸ **이재명 대표, 단식 시작**
- 2023.09.09 ▸ 이재명 대표, 검찰 5차 출석 / 대북송금 의혹
- 2023.09.12 ▸ 이재명 대표, 검찰 6차 출석 / 대북송금 의혹
- 2023.09.20 ▸ 윤미향 2심 선고 : 집행유예형
- 2023.09.21 ▸ 이재명 대표, 국회 체포동의안 가결
- 2023.09.27 ▸ **이재명 민주당 대표 영장실질심사 기각**

[그림 1-3] 2018년-2023년 검찰(언론)발 주요 정치인 사건 일지

1-1 [조국] 방안의 코끼리 _ 조국 사태

조국 사모펀드는 없었다

검찰 쿠테타 세력과 검찰 개혁 세력이 정면으로 충돌했다는 의미의 '조국대전'이란 용어가 사태의 성격을 더 정확하게 표현하고 있지만, 이미 언론을 통해 국민들에게 하나의 고유 명사처럼 일반화된 '조국사태'라는 용어를 편의상 사용하고자 한다.

조국사태는 2019년 문재인 대통령이 법무부장관 후보로 조국을 지명하면서 시작되었고, 조국 법무부장관 후보자에 대한 인사청문회 과정에서 본격화되었다. '조국 OUT' '문재인 퇴진'을 외치는 태극기 집회가 광화문에서 열리고, '조국 수호' '검찰 개혁'을 외치는 집회가 서초동 사거리에서 개최되는 등 100만 명 이상의 대규모 시민들이 정면으로 충돌하는 한국 현대사에서 보기 드문 사태였다. 1945년 해방 이후 신탁통치를 찬성하는 세력과 반대하는 세력이 정면 충돌했던 '탁치 논쟁'이후 처음 벌어진 광경이었다. 1987년 6

월 민주항쟁, 2016년 국정농단 촛불집회처럼 일방의 주장을 대규모 시민들이 거리로 쏟아져 나와 표출한 사례는 있었지만, 조국사태처럼 하나의 사안을 두고 찬성과 반대 양측의 시민들이 대규모로 격돌한 사례는 없었다.

한국 현대사에서 한 획을 그을 정도로 중요한 사건이었지만, 조국사태가 잠잠해진 이후 조국 전 법무부장관이 무슨 범죄를 저질렀는지 물어보면 대부분의 사람들은 제대로 답변하지 못한다. 보수적 성향의 사람들은 물론이고 술자리에서 커피숍에서 그렇게 조국을 비판했던 진보적 성향의 사람들도 정작 조국의 위법 행위가 무엇인가 물어보면 잘 답하지 못한다. 이 즈음되면 우리는 무언가에 홀렸었다고 보는 것이 맞다. 검찰이 작성하고 언론이 뿌리고 진보가 체크한 프레임에 대한민국은 홀렸었다.

조국 법무부장관 후보자 인사청문회의 시작은 색깔론이었다. 자유한국당 황교안 대표는 2019년 8월 12일 "국가 전복을 꿈꾸던 사람이 법무부 장관에 기용될 수 있느냐"면서 과거 사노맹(남한사회주의노동자동맹) 사건으로 처벌받은 사실을 거론했다. 김대중 죽이기의 핵심 프레임이었던 색깔론으로 공세를 시작한 자유한국당은 여론의 반응이 호의적이지 않음을 깨닫고 공세 방향을 전환한다. 이때까지만 해도 진보언론을 포함해 대다수 언론이 철지난 색깔론이라고 치부했기 때문이다.

2020년 7월2일 〈뉴스타파〉는 박상기 전 법무부장관이 검찰의 전격 압수수색이 있었던 2019년 8월 27일 당일에 윤석열 검찰총장을 만나 윤 총장에게 보고받은 내용을 공개했다. "사모펀드는 다 사기꾼들이 하는 거다. 내가 사모펀드 관련된 수사를 많이 해 봐서 잘 안다. 어떻게 민정수석이 사기꾼들이나 하는 사모펀드에 돈을 댈 수 있느냐"라며 조국 당시 청와대 민정수석의 법무부장관 불가 입장을 밝혔다고 한다. 이 때만해도 입시비리에 대한 이야기는 전혀 없었다. 그런데, 8월 27일 20여곳 이상의 동시 압수수색과 이후 토끼몰이식 수사에도 검찰은 사모펀드 건으로 조국을 기소하지 못했고 그나마 유일하게 기소한 '거짓변경보고' 혐의는 1, 2, 3심 모두 무죄 판결이 내려졌다. 조국 사태의 본류라며 검찰과 언론이 2019년 내내 그렇게 강조했던 사모펀드 혐의는 허무하게 모두 무죄로 판결났다.

사법부는 사모펀드 건에 대해 일관되게 무죄를 선고하였지만 언론은 받아들이지 않았다. 1987년 민주화 이후 진보적 언론으로 분류되었던 진보언론도 다르지 않았다. 2019년 8월 20일, 〈경향신문〉은 '조국 사모펀드 투자 다음해... 운용사에 얼굴 없는 53억'이란 제목의 기사에서 조국 가족과 관련한 어떠한 단서도 없이 기사 제목에는 "얼굴 없는 53억"이라고 써놓고는 조국 전 장관의 얼굴 사진을 올리는 단순 의혹제기를 넘어선 악의적 보도를 하였다. 심지어 〈경향〉은 이 기사에 대한 정정보도 청구에도 모르쇠로 일관하였다.

2019년 9월 6일 개최된 조국 후보자 인사청문회에서 자유한국당 의원들은 색깔론 대신 사모펀드 투자의혹과 자녀입시 관련 의혹으로 공세를 집중했지만, 홍준표 전 자유한국당 대표가 "맹탕 야당이 청문회를 열어줘 조국을 법무장관 시켜준다"고 할 정도로 공세 내용이 빈약했다. 그런데, 늦은 밤까지 진행되던 청문회를 마칠 무렵 청문회를 진행중이던 자유한국당 여상규 의원이 "처와 자녀 등 온 가족이 검찰 수사를 받고 있단 말이에요. 앞으로 구속될지도 몰라요. 이 가정이 무너지고 있습니다. 그런데 그 장관이 무슨 의미가 있죠?"라며 의미심장한 발언을 한다. 청문회 마치기를 기다렸다는 듯 같은 날 저녁 10시 50분, 서울중앙지검 특수2부는 조국 후보자의 아내인 정경심 교수를 사문서위조(동양대 표창장 위조 등) 혐의로 기소했다. 지금까지 한 번도 경험해보지 못한 거센 파도가 조국 가족과 민주당 앞에 불어오고 있었다.

인사청문회란, '대통령이 임명한 행정부 고위공직자의 자질과 능력을 국회에서 검증받는 제도'를 뜻한다. 즉 국회는 조국 후보자가 법무부장관으로서 적격한 자질과 능력을 갖추고 있는지 검증했어야 한다는 뜻이다. 그러나, 조국 후보자가 법무부장관으로 적격한 자질과 능력이 있는지에 대한 질의는 사노맹 활동경력에 대한 질의가 유일했다. 사회주의노동자동맹 사건으로 처벌받은 경력이 있는 후보자가 대한민국 헌법을 수호하는 법무부장관으로 적격한지를 묻는 질의였는데 검찰의 압수수색이 시작되면서 흐지부지되었다.

대신 검찰이 후보자의 아내와 자녀, 동생, 사촌동생 등 가족과 지인에 대한 광범위한 압수수색과 계좌 및 휴대폰추적, 소환조사 등을 통해 확보한 별건수사(특정 범죄혐의를 밝혀내는 과정에서 이와는 관련 없는 사안을 조사하면서 수집된 증거나 정황 등을 이용해 원래 목적의 피의자 범죄혐의를 밝혀내는 수사방식) 혐의가 중요쟁점이 되었다.

인사청문회의 취지와 상관없는 별건수사의 내용이 '조국사태'의 핵심 쟁점으로 떠올랐지만 검찰과 언론이 쏟아내는 물량공세에 조국 가족과 민주당은 속수무책으로 당할 수 밖에 없었다. 한국언론진흥재단 자료에 의하면, 법무부장관으로 지명된 2019년 8월 9일부터 12월 13일까지 조국 법무부장관 관련 기사는 무려 11,589건에 이르렀다. 무한 복제되는 최근 언론의 특성과 유튜브 등 뉴미디어까지 포함하면 전체 보도량은 헤아리기도 어려울 정도였다.

단위: 건수, 괄호 안은 %

구분	보수신문		진보신문		계(%)
	조선일보	동아일보	한겨레	경향신문	
제1시기 : 조국 법무부 장관 임명 이전 (2019.8.9~2019.9.8)	100	39	35	89	263(15.4)
제2시기 : 조국 법무부 장관 임명 이후 (2019.9.9~2019.10.13)	298	141	127	212	778(45.6)
제3시기 : 조국 법무부 장관 사퇴 이후 (2019.10.14~2019.11.13)	184	75	59	92	410(24.0)
제4시기 : 조국 전 장관 및 가족 법정 공방 본격화(2019.11.14~2019.12.13)	114	49	38	54	255(14.9)
전체	696	304	259	447	1,706(100.0)

[표 1-1] 2019년 조국사태 당시 주요 신문사별 보도량 분석

전북대 신문방송학과 박주현 교수가 발표한 [조국사태 보도에 있어서 언론의 이념성과 가짜저널리즘과의 관계 연구] 논문에 의하면, 같은 기간 조국사태 보도량은 〈조선일보〉가 가장 많은 696건을 차지했고, 〈경향신문〉 447건, 〈동아일보〉 304건, 〈한겨레〉 259건의 순으로 나타났다. 특이한 점은 〈경향신문〉이 〈동아일보〉보다 많은 양의 조국사태 보도를 하였다는 점이다. 신문사 규모를 감안할 때 〈경향〉이 엄청난 양의 보도를 쏟아냈다는 뜻이다. 만약, 〈경향〉과 〈한겨레〉가 무방비로 노출되어 있는 조국 가족의 인권을 보호하고 검찰의 별건수사 문제점을 질타하는 내용으로 〈조선〉 〈동아〉와 차별화를 하였다면 물량면에서 보수언론에 뒤지지 않았을 것이다. 그러나 현실은 전혀 다른 방향으로 전개되었다.

맹탕 청문회로 끝난 2019년 9월 6일 밤, 검찰이 사상 최초로 인사청문 대상자의 배우자를 기소하자 '해도 너무한다'는 여론이 들끓었다. 그런데, 들끓는 검찰개혁 여론을 잠재우고 조국 법무부장관 사퇴까지 여론을 주도하는데 결정적 기여를 한 오보가 청문회 다음날 SBS에 의해 탄생했다. SBS는 2019년 9월 7일 '조국 아내 연구실 PC에 총장 직인파일 발견'이란 제목의 단독기사를 통해 정경심 교수가 자신의 동양대 연구실에서 딸 조민의 표창장을 위조한 것처럼 보도했다. 이 기사는 무서운 속도로 퍼져 정 교수 기소의 정당성을 제공했으나, 이후 재판과정에서 완벽한 허위기사였음이 밝혀졌다. SBS 단독보도 7개월 후인 2020년 4월 8일 동양대 교원인사팀장은 재판에 출석해 "정경심 교수 PC에는 총장 직인파일이 없었다"

고 증언했다. 2020년 6월 22일 방송통신심의위원회는 "장관 후보자 가족의 비리 의혹이라는 전 국민적 관심사에 대한 보도인 만큼 철저한 사실관계 확인과정을 거쳐야 함에도, SBS가 정확한 확인 없이 추정을 바탕으로 단정적으로 보도한 것은 중대한 문제"라고 지적하며 법정 제재에 해당하는 '주의'를 의결했다.

조국사태의 향방을 가를 수 있었던 SBS의 결정적 오보를 사실인 것처럼 팩트체크하고 확대 재생산하는데 앞장선 언론 중에는 오랜 기간 진보언론으로 인식되었던 〈경향신문〉이 있었다. 〈경향〉은 2020년 5월 1일자 '정경심 PC에서는 총장직인파일이 발견되었을까?' 제목의 팩트체크 기사에서 "결론부터 말하면, 정 교수 연구실 PC에서는 총장 직인 파일이 발견됐다. 하지만 검찰이 공소사실에 적은 총장 직인 파일은 정 교수가 임의 제출한 PC가 아니라, 보도 이후 동양대에서 임의제출 받은 PC에서 나온 것이다"라며 오보를 사실인 것처럼 팩트체크 해주었다. 〈경향〉 법조팀의 실수인지 아니면 진실 보도보다 법조기자들 사이의 의리 혹은 친분이나 이해 관계를 우선했던 법조기자들의 '동업자 의식'(시민언론 민들레)이 발휘된 것인지 의심이 드는 대목이다.

한편, SBS 단독기사 이미지에도 등장했던 '동양대 표창장'은 '동양대 총장상'이란 희귀한 이름으로 변경되어 언론에 유포되었다. '표창장'이 유치원부터 널리 통용되는 일반적 의미인데 반해 '총장상'은 마치 특혜의 이미지를 풍겨주는 단어였음에도 언론은 존재하지도 않는 '동양대 총장상'이란 용어를 기사 제목에 달았다.

[그림 1-4] 동양대 '표창장'을 '총장상'으로 왜곡한 언론보도 비교 이미지_시민언론 민들레

2019년 9월 3일 KBS의 "조국 딸, 어머니 학교서 총장상 받아"라는 제목의 최초 단독보도 화면과 아래 이미지(시민언론 민들레)의

"조국 딸, 어머니 학교서 표창장 받아"를 비교해 보면 '총장상' 프레임이 얼마나 악의적인 것인지 쉽게 알 수 있다.

이처럼 조국사태 전반에 걸쳐 검찰과 언론이 조국 가족에게 들씌운 조작과 왜곡 사례는 너무 많아 일일이 열거하기도 힘들 정도이지만, 시간이 지난 후 대부분 재판이 진행되는 과정에서 밝혀진 진실들이라 일반인들은 알기가 쉽지 않다. 그럼에도, 조국사태 전개과정에서 반드시 짚고 넘어가야 할 대목이 있다. '조국흑서'가 그것이다.

흔히 '조국흑서'로 알려진 '한번도 경험해보지 못한 나라(천년의 상상)'는 2020년 8월에 출간되어 반문재인 반조국 진영의 필독서로 알려지며 출간 첫 날 베스트셀러 1위에 올랐다. 이 책이 이렇게까지 주목을 받은 이유는 공동저자 5명이 그동안 한국 사회의 진보적 지식인 그룹에 속해 있었기 때문이다. 진보적 지식인들이 조국 전 법무부장관에 대해 비판의 목소리를 낸다는 것은 '조국사태'를 '진보 : 보수' 또는 '검찰개혁 : 검찰쿠테타'의 구도가 아닌 '공정'과 '상식'의 구도로 포장하기 가장 좋은 그림이었다. 이는 윤석열 검찰총장의 이미지와도 일치하는 것이었다.

조국흑서 공동저자 5인의 변신		
이름	조국사태 이전 경력	조국사태 이후 주요 경력
김경율	참여연대 공동집행위원장	국민의힘 비상대책위원
권경애	민변 변호사	학교폭력 피해자 소송 3회연속 불출석으로 유가족 패소 : 대한변호사협회에서 정직 1년의 징계
서민	<경향신문> 기획연재 필진	'빨대포스트' 유튜브 운영 보수논객
강양구	<프레시안> 기자	<김어준의 뉴스공장> 퇴출시기 TBS교통방송 사장 응모
진중권	정의당 당원, 진보논객	정의당 2회 탈당 소동 후 탈당, 보수논객

[표 1-2] 일명 '조국흑서' 공동저자 5인의 정치적 변신

'한번도 경험해보지 못한 나라'의 공동저자는 진보적 인터넷 언론 〈프레시안〉 기자였던 강양구, 민변(민주사회를위한변호사모임) 출신의 권경애 변호사, 참여연대 공동집행위원장 출신 김경율, 진보 언론 〈경향신문〉에서 '서민의 어쩌면'이란 기획연재 기고를 하던 서민 교수 그리고 치유의인문학(2016.위즈덤하우스), 아웃사이더 05(2001.아웃사이더)등의 서적에 조국과 함께 이름을 올릴 정도로 진보적 지식인 그룹의 대표적 인플루언서였던 진중권 교수가 참여했다.

이처럼 화려한 이력의 필진이 결합하고 조선일보가 '조국백서 잡는 조국흑서'라며 한껏 띄워주었지만 내용은 부실하기 짝이 없었다. '조국흑서'라는 수식어가 무색하게 총 337페이지 분량 중 정작 조국사태를 다룬 부분은 고작 70여페이지에 불과했고 그나마도 새로울 게 없는 사모펀드 관련 검찰 공소내용을 되풀이 하는 것에 불과했다. '조국흑서'로 주가를 올린 5명의 공동저자는 이후 언론의 화려한 조명을 받으며 변신에 성공한다.

참여연대 출신 김경율 회계사는 2023년 1월 윤석열 정부 노동개선 자문단장을 거쳐 같은 해 12월 국민의힘 한동훈 비상대책위원회에 합류한다. 민변 출신 권경애 변호사는 보수 논객으로 이름값을 올리다가 학교폭력 피해자의 소송에서 3회 연속 불출석해 유가족이 패소하게 만든 충격적인 사실이 알려져 2023년 8월 대한변호사협회에서 정직 1년의 징계를 받았다. 〈경향신문〉에서 기획연재 기사를 올리던 서민 교수는 이후 '빨대포스트'라는 유튜브를 운영하는 보수논객으로 변신해 각종 막말과 혐오 발언으로 구설수에 오르고 있다. 〈프레시안〉 출신 강양구 기자는 이후 "〈김어준의 뉴스공장〉 등 시사컨텐츠의 공과를 평가해 대안을 만들겠다"며 TBS 교통방송 사장에 응모하기도 했다.

대표적 진보논객이자 정의당 당원이기도 했던 진중권 교수는 "조국 법무부장관 후보자에 대한 정의당의 침묵에 실망했다"며 탈당했다가 2022년 1월 "정의당이 조국 사태와 일련의 잘못된 결정에 대해 반성을 했다. 저는 심상정으로 간다. 정의당에 다시 입당한다”며 복당을 했다. 이정미, 여영국 등 정의당 지도부의 환영을 받으며 복당한 진중권은 2023년 6월 "양곡관리법에 관한 인터뷰 중 농민과 어르신, 이주농업노동자에 대한 혐오와 차별 발언을 하였다“며 정의당으로부터 ‘당원권 2년 정지’의 중징계를 받고 다시 탈당하는 소동을 겪었다. 진중권 교수와 정의당이 보여준 일련의 소동은 그동안 수면 아래 가려져 있던 한국 진보의 민낯을 세상에 알려주는 계기가 되었다.

조국사태의 본류라던 사모펀드 의혹이 불기소 또는 무죄로 종결된 이후 별건수사가 기승을 부렸지만 대부분의 사람들은 무엇이 본류이고 별건수사인지 구분하지 못할 정도로 검찰발 과잉정보에 무방비로 노출되어 있었다. 윤석열 검찰총장이 여주지청장이던 2013년 국정감사에서 말했듯이 '표범이 사슴을 사냥하듯' 수사를 하였기 때문이다. 사냥은 한번 표적을 정하면 사냥감이 정신을 차릴 수 없을 정도로 전후좌우에서 신속하게 전방위적 공격을 가한다. 그리고, 총을 맞고 피를 흘리며 도망가는 사냥감의 두려움을 목격할 때 사냥의 짜릿한 쾌감을 맛본다.

목표가 정해진 이상 조국사태의 본류라던 사모펀드 의혹이 해소되었다고 사냥을 멈추진 않았다. 자녀 입시비리 의혹으로 배우자 정경심 교수를 구속하고, 사학재단 채용비리 의혹으로 동생 조권씨를 구속하고, 딸 조민씨의 의사면허를 박탈하고 대학입학을 취소시키고, 조민씨 인턴 경력 허위의혹으로 21대 최강욱 의원의 국회의원직을 박탈하였다. 별건수사가 본격화하면서 조국을 아끼고 사랑하는 사람들은 그의 신변을 걱정하기 시작했다. 노무현 전 대통령처럼 혹여나 극단적 선택을 하진 않을까 조마조마한 마음으로 사태를 지켜보았다.

조국 법무부장관의 사퇴 이후에도 조국사태는 지속되었다. 추미애 법무부장관이 윤석열 검찰총장의 '판사사찰 의혹', '채널A사건 수사무마 의혹' 등에 대해 징계를 청구한 것을 두고 진보와 보수언론이 합심해서 추미애 장관을 비난했다. '추-윤 갈등'이란 타이틀로 윤석열 검찰총장 비위사건의 본질을 희석하는데 〈경향신문〉의 단독기사가 중요한 역할을 했다. 〈경향〉은 2019년 12월 6일 '윤석열 충심 그대로..정부 성공 위해 악역'이란 제목의 단독기사에서 윤석열 검찰총장의 '문재인 대통령에 대한 충심에는 변화가 없다'면서 '이 정부의 성공을 위해 내가 악역을 맡은 것'이라고 말했다고 보도했다. 〈경향〉 유희곤 기자의 단독보도는 "~전해졌다" "~알려졌다"와 같은 서술로 보았을 때, 여타의 검찰발 익명보도와 마찬가지로 검찰로부터 받은 정보일 가능성이 높다.

윤석열 검찰총장 징계라는 최대위기 국면에서 진보언론의 단독보도가 미친 사회적 파급력은 상당했다. 이후, 추미애 법무부장관은 사퇴했고 윤석열 검찰총장은 연일 언론의 중심에 조명되다가 화려하게 국민의힘 대선후보로 변신해 2022년 대선에서 승리했다. 집권

후 윤석열 대통령은 문재인 정부를 반국가단체라 지칭하는 (2023.06.28. 자유총연맹 창립기념행사) 등 거의 모든 사안마다 "문재인 정부 때문"이라며 전 정권 탓을 하였지만, 〈경향〉은 역사에 남을 '윤석열 충심 그대로..정부 성공 위해 악역' 단독보도에 대해 모르쇠로 일관했다.

不變應萬變(불변응만변)

조국은 그간 자신의 심정을 페이스북에 이렇게 밝혔다. 주역에 나오는 말로 '변하지 않는 것으로 온갖 변화에 대응한다'는 뜻이다. 그러면서 재판 대응은 물론이고 진중권 등과의 진흙탕 싸움도 마다하지 않았다. 그리고, 〈조국의시간〉 〈가불선진국〉 〈조국의법고전산책〉 〈디테의눈물〉 등을 출간하면서 전국 북콘서트를 통해 시민들을 직접 만났다. 그리고 2024년 조국혁신당을 창당해 정당지지율 24.25% 득표에 국회 12석 진입이라는 정치적 자산을 얻었다. 사냥감은 이리저리 물어뜯겨 상처나고 피는 흘렸지만, 광기어린 사냥꾼에게 살려달라고 애원하지는 않았다.

1-2 [정봉주] 진보 언론의 학살

"성추행 의혹 보도는 정봉주 전 의원을 서울시장 선거에서 낙선시킬 의도가 명백하다"

어느 정당이나 단체의 성명서가 아니다.

정봉주 전 민주당의원에 대한 성추행사건 1심 재판부(서울중앙지법 형사21부_재판장 김미리)가 2019년 10월 25일 정봉주 전 의원에게 무죄를 선고하면서 밝힌 내용이다. "검사가 제출한 증거만으로는 보도 내용도 객관적 진실로 볼 수 없다"는 1심의 선고 결과는 2심(2021년 1월 27일)과 3심(2021년 4월 29일)에서도 그대로 이어져 세상을 떠들썩하게 했던 정봉주 전 의원의 이른바 여대생 성추행 의혹은 완전하게 무죄로 끝이 났다.

문재인 정부 출범 다음 해인 2018년 3월 인터넷 언론 프레시안은 "나는 정봉주 전 의원에게 성추행 당했다"는 제목의 충격적인 단독보도를 하였다. 같은 해 1월, 서지현 검사가 검찰 내 성추행 사건을 폭로한 이후 미투운동(Me Too Movement)이 확산되던 시점에 터진 프레시안의 단독보도는 성추행(성폭행)이란 파렴치한 행위가 보수적인 검찰조직뿐 아니라 촛불혁명으로 민주정부를 탄생시킨 민주당에서도 발생할 수 있다는 충격을 안겨주었다.

홈 오피니언 정치 경제 사회 세계 문화 Books 전국 스페셜 협동조합

[단독] "나는 정봉주 전 의원에게 성추행 당했다"

현직 기자 폭로 "껴안고 강제로 키스 시도"...정봉주 "답할 이유 없다"

서어리 기자 | 기사입력 2018.03.07. 09:32:08 최종수정 2018.03.08. 07:43:30

더불어민주당에 최근 복당 신청을 하고 6.13 지방선거에 서울시장 출마 의사를 밝힌 정봉주 전 의원으로부터 성추행을 당했다는 피해자의 폭로가 나왔다.

현직 기자 A 씨는 6일 <프레시안>과의 인터뷰에서 기자 지망생 시절이던 지난 2011년, 정 전 의원이 호텔로 불러내 키스를 시도하는 등 성추행을 했다고 밝혔다.

A 씨가 정 전 의원을 처음 만난 때는 팟캐스트 '나는 꼼수다' 열풍이 한창이던 지난 2011년 11월이었다. '나꼼수' 애청자였던 A 씨는 2011년 11월 1일, 친구와 함께 K 대학에서 열린 정 전 의원의 강연을 들었다. 강연이 끝난 후 A 씨와 친구는 정 전 의원에게 함께 사진을 찍자고 요청했다.

[그림 1-5] 프레시안의 정봉주 전 의원 성추행 의혹 최초 보도_프레시안 캡처

서울시장 출마를 준비 중이던 정봉주는 서울시장 선거를 불과 77일 앞둔 2018년 3월 28일 출마를 포기하고 '자연인으로 돌아가겠다'고 밝혔다. 이명박 전 대통령의 BBK 의혹을 폭로한 대가로 여의도를 떠나 옥살이를 했던 정봉주 전 의원은 '10년 통한의 겨울을 뚫고 찾아온 짧은 봄'이었지만 민주당을 향해 불어오던 거센 파도를 넘기엔 역부족이었다.

사법부는 정봉주 전 의원에 대해 무죄를 선고하였지만, 현실의 법은 여전히 정봉주를 옥죄고 있다. 대법원까지 무죄를 최종 선고하였지만 이 사건을 최초 단독보도한 프레시안에서는 사과문을 찾아볼 수가 없다. 사과는커녕 2024년 22대 총선 출마를 준비중이던 정봉주에게 "정봉주 미투 판결문 보니 '성추행 없었다' 증명된 것 아냐…피해자 주장 일관성"이란 제목의 기사를 통해 '여성 기자 지망생을 성추행한 의혹으로 미투 폭로가 나왔던 정봉주 더불어민주당 교육연수원장이 올해 4.10 국회의원 총선거 출마를 선언해 논란이 예상된다'며 정봉주의 출마 자격을 문제 삼는 기사를 올렸다.

만약 정봉주에 대한 최초 단독보도부터 22대 총선 출마 자격 시비까지 끈질기게 문제를 제기하는 언론이 조선일보라면 이 사건의 구도는 단순해진다. 오랜 기간 조선일보와 적대적 위치에서 정치를 했던 정봉주에 대한 정치적 의도가 담긴 기사로 읽을 수 있기 때문이다.

문제는 이 사건을 끈질기게 물고 늘어지는 언론이 진보언론으로 알려진 프레시안이라는 사실이다. 프레시안은 2001년 '관점이 있는 뉴스'를 표방하며 창간해 '생명·평화·평등·협동'을 실현하고자 하는 협동조합 언론으로 오마이뉴스와 함께 대표적인 진보성향 인터넷 언론으로 알려져 있다. 때문에 조선일보가 정봉주에 대해 쏟아내는 기사 100개보다 프레시안의 기사 1개가 훨씬 더 뼈아프고 파급력이 크다.

일상 생활에 바쁜 일반인들이 정봉주와 프레시안 사이에 벌어지는 숱한 논쟁과 기사, 주장을 일일이 챙겨보기는 어렵다. 대부분의 사람들은 '진보언론조차' 정봉주에 대해 이렇게 보도할 때에는 그럴 만한 이유가 있을 것이라고 생각하기 마련이다. 대중의 관심이 떨어진 시점에 나오는 법원의 판결 결과는 사람들의 인식을 바꾸기 어렵다.

1-3 [한명숙] 삼인성호 _ 검찰의 위증교사

"난 지난 10년 동안을 어둠 속에 갇혀 살았다. 6년 세월을 검찰이 만든 조작재판과 싸웠다. 결국 불의한 정권과 검찰 그리고 언론의 무자비한 공격에 쓰러져 2년을 감옥에서 보내야 했다. 그리고 아무 일도 할 수 없었던 출소 후 2년. 거부할 수 없는 운명이라 치부하기에는 너무 혹독한 시련이었다"

'한명숙의 진실'(2021.생각생각)에서 한명숙 저자 본인이 밝힌 심정이다.

한명숙 개인의 주장으로 그칠 수 있었던 진실을 세상에 알려준 언론은 〈뉴스타파〉였다. 2020년 5월 14일 〈뉴스타파〉와 MBC는 한명숙 전 국무총리 유죄 확정의 핵심적 증인이었던 한만호(전 한신건영 대표)가 검찰의 협박과 회유에 의해 거짓으로 증언했다고 보도했다. 뉴스타파가 확보한 한만호의 비망록 등에는 2010년 6월 지방선거에서 서울시장 유력후보였던 한명숙을 유죄로 만들기 위해 '정치자금 9억 원을 줬다'는 거짓 진술의 정황이 구체적으로 기술되어 있었다.

검찰발 한명숙 정치자금 기사가 언론을 뒤덮은 2010년 6월 서울시장 선거결과, 민주당 한명숙 후보는 2,059,715표(46.8%)를 득표해 2,086,127표(47.4%)를 얻은 한나라당 오세훈 후보에게 불과 0.6%(26,412표) 차이로 낙선했다. 검찰발 이재명 대장동 기사가 언론을 뒤덮은 2022년 대선에서 민주당 이재명 후보와 국민의힘 윤석열 후보의 격차는 불과 0.73% 차이였다.

2009년 노무현 대통령 장례위원장으로 노무현 대통령을 목놓아 부르던 한명숙 전 총리는 잠재적 대권 주자로 급부상하였으나 검찰의 집요한 정치자금 수사와 2010년 서울시장 선거 낙선으로 시련을 겪었다. 2011년 1심(서울중앙지법 형사합의22부_김우진 재판부)에서 증거불충분으로 무죄선고를 받았으나 2013년 2심(서울고등법원 형사6부_정형식 재판부)과 2015년 3심에서 유죄를 선고받아 구속·수감되었다.

〈뉴스타파〉는 1심의 무죄를 뒤집고 2심과 3심에서 유죄가 확정되는 과정에서 검찰이 핵심 증인 한만호와 교도소 같은 방에 수감되었던 죄수 2명을 한 명은 6개월 동안 89회, 다른 한 명은 12개월 동안 148회씩이나 불러서 조사하며 거짓 증언 연습까지 시켰다고 보도했다. 〈뉴스타파〉의 충격적인 보도는 2020년 총선 이후 정치권을 뜨겁게 달구었다. 이른바 삼인성호(거짓된 말도 여러 번 되풀이하면 참인 것처럼 여겨짐)와 모해위증(누군가를 모해할 목적으로 증인이 허위 진술을 함으로써 성립하는 범죄) 정국으로 한명숙 정치자금 사건의 전면적인 재조사 목소리가 치솟던 시점이었다. 2020년 4월 총선에서 177석으로 압승한 더불어민주당은 한명숙 전 총리가 이미 복역을 마치고 출소해 자연인이 되었지만 '법무부와 검찰은 부처와 기관의 명예를, 법원은 사법부의 명예를 걸고 스스로 진실을 밝히는 일에 즉시 착수하길 바란다'고 촉구했다.

한명숙 정치자금 수사의 진상을 밝히고 검찰개혁과 사법정의를 바로 세울 수 있는 중대한 시점에 진보진영의 대표 언론 〈한겨레신문〉은 검찰의 모해위증 정국에 찬물을 끼얹는 사설을 게재한다. 2020년 6월 4일 〈한겨레〉는 '누구도 양심을 장담할 수 없다'는 제목의 사설에서 '재심이 가능하지도 않고, 정치적 명예를 회복하려는 시도는 한 전 총리에게 더 깊은 상처만 남길 가능성이 커 보인다'며 사실상 검찰의 손을 들어주었다. 그리고 모든 언론이 '조국의 강을 건너라'로 협박했던 2020년 4월 총선에서 압승한 더불어민주당을 향해 '총선을 통해 177석의 최대 권력이 된 직후 보여준 민주당의 처신도 많은 국민에게 오만하게 비쳤을 것이다. 진보개혁 세력이 양심과 도덕에서 우위에 있다고 생각하는 시대는 지나가고 있다. 누구도 양심을 장담할 수 없다'라며 훈계했다.

그런데 '누구도 양심을 장담할 수 없다'며 한명숙 전 총리와 민주당을 훈계했던 한겨레신문 석진환 이슈 부국장이 대장동 개발업자 김만배씨에게 아파트 중도금 명목으로 차용증도 없이 9억 원을 받은 사실이 뒤늦게 밝혀졌다. 이 사설을 작성했던 2020년 6월은 김만배씨에게 이미 7억 5천만 원을 받은 시점이었다. 한겨레 기자와 대장동 개발업자와의 돈거래가 〈한겨레〉 기사에 어떤 영향을 주었는지 밝혀내는 것은 쉽지 않다. 다만, 2016-2017년 겨울 광화문과 전국 곳곳에서 박근혜 퇴진 촛불을 들었던 민주시민들의 마음에 상처를 주고 한명숙 사건 전면 재조사 정국에 찬물을 끼얹은 것은 사실이다. 양심은 한명숙 전 총리와 민주당이 아니라 〈한겨레〉 자신의 가슴에 손을 얹고 물어보아야 했다.

〈한겨레〉와 함께 대표적인 진보언론으로 알려진 〈경향신문〉의 보도 역시 다르지 않았다. 경향신문은 〈뉴스타파〉의 최초보도 1주일 후인 2020년 5월 21일 '한명숙 사건 재심 가능성? 검찰의 회유 근거로 공개된 비망록, 이미 신빙성 낮다고 판단'이란 제목의 기사로 찬물을 끼얹는다. 조국사태 당시 검찰의 보도자료를 따라가기 바빴던 경향신문이 〈뉴스타파〉의 보도에는 전혀 상반된 모습을 보여준 것이다. '법조계 새롭고 명백한 증거 나오지 않아…재심은 어려울 듯'이라고 기사를 작성하면서 정작 법조계 누구의 의견인지 법조계 몇 명에게 의견 수렴을 구했는지는 밝히지 않은 채 검찰의 입장을 대변하는 듯한 모습을 보여주었다.

〈경향〉은 2020년 6월 1일자 '한명숙 복권운동'이란 제목의 '진중권 돌직구' 칼럼에서 〈뉴스타파〉의 보도를 '느닷없고 이상한 일'로 치부하고 '한명숙 구출 작전은 권력형 비리수사 예봉 꺾으려… 깔끔하게 재심청구로 가고 그럴 자신 없으면 입 다물길'이라며 악담을 퍼부었다. 진보언론으로 알려진 〈한겨레〉와 〈경향〉의 보도 행태가 이러한데 조선·중앙·동아일보를 비롯한 여타의 언론은 살펴볼 필요도 없다. 문재인 청와대와 민주당의 고심이 깊었을 것이다. 결국 숱한 공방 끝에 한명숙 정치자금 사건은 재심도 재조사도 없이 흐지부지되었다.

"암담한 시간 속에서 날 견디게 해준 유일한 희망은 진실에 대한 확고한 믿음이었다. 난 결백하다. 그리고 그것은 진실이다."

한명숙의 진실(생각생각 2021)중에서

1-4 [윤미향] 마녀사냥 _ 윤미향 의원과 정의기억연대 죽이기

'윤미향 사태'를 촉발시킨 이용수 할머니의 충격적인 기자회견 8년 전인 2012년 4월, 윤미향 정신대대책협의회 대표는 일본 히로시마 공항에서 가방 속 속옷까지 조사를 당하는 치욕을 겪는 일이 있었다. 2010년 11월, 위안부 할머니들과 방문한 일본 도쿄에서는 일본 극우들에게 "꺼져라 매춘부들아!"라는 욕설을 들어야 했다. 한두 번이 아니었다. 일본을 방문할 때마다 일본 극우들에게 둘러싸여 입에 담을 수 없는 협박을 당해야 했다.

2021년 8월, MBC 〈PD수첩〉의 보도에 의하면 일본 극우와 기관은 2012년 윤미향 정신대대책협의회 대표의 일본 방문일정을 사전에 파악하고 히로시마 공항에서 모욕적인 속옷 조사 방안을 한국 국정원과 사전 협의를 하였다고 한다. '윤미향 사태'는 어느 날 갑자기 우발적으로 터진 사건이 아니었다. 적어도 10년 이상 윤미향의 행적을 추적해온 일본 극우에게 2020년 4월 한국 총선의 가장 끔찍한 사건은 정신대대책협의회와 정의기억연대를 이끌었던 윤미향의 국회의원 당선이었다.

2차 세계대전 패전 이후 미국과 어깨를 나란히 할 정도로 급속한 경제성장을 이루었던 일본 극우는 2006년 독도 사태를 경험한 이후로 다시는 한국에 노무현 정권과 같은 정부가 등장하지 못하도록 대비책을 마련해야겠다고 다짐했다고 한다. 2006년 독도 주변

해역 탐사를 빌미로 출항했던 일본 해상보안청 측량선은 노무현 대통령의 '측량선을 침몰시켜서라도 독도를 지켜라'는 결연한 의지에 가로 막혀 돌아가는 일촉즉발의 사태가 발생했다. 호사카유지 세종대 교수는 노무현 정부를 경험한 일본 극우세력이 이 때부터 한국의 정치권에 영향력을 행사하기 위한 다각도의 전략을 수립했다고 한다.

21대 총선 20여 일 후 열린 이용수 할머니의 충격적인 기자회견(2020.5.7)의 핵심은 '위안부 문제를 해결해 준다고 하더니 윤미향 혼자 국회의원이 됐다'는 오해와 서운함이었다. 기자회견은 그동안 일본 언론을 통해 간간히 전해지던 윤미향 의원에 대한 온갖 음해성 기사의 봉인을 일제히 해제시키는 계기가 되었다. 한국 언론은 일제히 윤미향 의원과 정의기억연대에 대한 마녀사냥에 돌입했다. 조국사태와 마찬가지로 매일 실시간 쏟아지는 속보와 단독기사를 쫓아가기도 바쁠 정도의 기사가 쏟아졌다. 그러자 정작 기자회견을 열었던 이용수 할머니는 "난 뭐가 뭔지 잘 모르겠다. 기자회견 뒤로 의혹들이 너무 많이 나왔더라" 라고 할 정도였다.

조국, 정봉주, 한명숙 사태 때와 마찬가지로 한국의 진보를 자처하는 언론과 정당 지식인들은 사건의·실체를 규명하고 무방비로 노출된 피해자의 인권을 보호하기 위해 나서기는 커녕 검찰과 언론의 마녀사냥에 동참해 함께 돌을 던졌다. 진보가 던진 돌이 훨씬 더 가슴속 깊이 파고 들었다. 시민언론 〈민들레〉는 당시 한겨레와 경향에 실렸던 기사의 제목을 아래와 같이 열거하면서 윤미향 의원을 비판(비난)하는 김경율 회계사, 서민 교수, 진중권 교수 등의 칼럼이나 기사가 두 언론에 곧잘 실렸다고 했다.

한겨레 신문	윤미향 아파트 낙찰금 2억 출처 논란 (2020.5.18)
	남편엔 일감 맡기고 아버지엔 힐링센터... 윤미향은 왜? (2020.5.18)
	윤미향 개인계좌 4개로 10건 모금...쓴 내역 공개 왜 못하나 (2020.5.19)
	[사설] 이용수 할머니의 분노, 윤미향 당선자가 답해야 (2020.5.25)
경향 신문	의혹만 키운 윤미향의 해명 (2020.5.18)
	"윤미향, 위안부 할머니를 이용했다" (2020.5.25)
	[사설] 윤미향의 긴 침묵, 시민들은 이해하지 못한다 (2020.5.28.)
	시민단체들 "윤미향 기자회견, 소명 부족하다" (2020.5.29)

[표 1-3] 2020년 5월 한겨레와 경향신문의 윤미향 의원 관련 기사 제목 _시민언론 민들레

원내 유일의 진보정당을 자처하던 정의당은 유독 검찰에 대해서는 무한 신뢰를 표하면서 윤미향 의원과 민주당을 코너로 내모는 마녀사냥에 동조하는 입장을 표했다. 문재인 정부 출범이후 검찰과 민주당의 대치국면에서 정의당은 조선일보 등이 주장한 '민주당 2중대'가 아니라는 것을 증명하기라도 하려는 듯 일관되게 검찰에

대한 무한 신뢰의 입장을 고수했다. 윤미향 의원 사태가 발생한 이후 정의당의 주요 브리핑 내용을 살펴보면 아래와 같다.

2020.5.20.	**검찰**이 수사에 착수한 만큼, 명백한 진상규명으로 시시비비를 가려야 할 것이다
2020.5.20.	**검찰** 조사가 이뤄지고 있는 가운데 국민들의 여론이 갈수록 악화되고 있다
2020.5.28.	**검찰** 조사에도 성실히 임하겠다고 밝힌 만큼 그간 제기됐던 모든 문제가 이후 투명하게 밝혀지길 바란다.
2021.10.5.	윤미향 의원의 **공소장** 내용이 공개되었습니다. **공소장**에는 2011년부터 2020년까지 위안부 피해자 후원금 1억 37만 원을 윤미향 의원이 217차례에 걸쳐 부적절하게 사용한 혐의가 담겨 있습니다.

[표 1-4] 윤미향 의원 관련 정의당 주요 브리핑 내용

"윤미향은 지난 30년 동안 인적 물적 기반이 열악한 상황에서도 정대협의 활동가로 근무하면서 일본군 위안부 문제 해결, 위안부 할머니들의 피해 회복 등을 위해 기여해 왔다"

2023년 2월, 1심 재판부(서울서부지방법원 2020고합204)는 검찰이 제기한 혐의 8개 중 7개를 무죄로 판결하면서 이렇게 밝혔다. 전방위적인 마녀사냥에도 불구하고 경찰조사에서 무혐의 처리되고, 검찰 조사에서 불기소된 12개의 혐의까지 합하면 윤미향에게 제기되었던 20개의 혐의중 19개가 무죄로 판결난 것이다. 유일하게 인

정된 1억 원의 횡령 혐의도 너무 오래되어 영수증을 찾지 못한 1,700만 원만 유죄로 판결되어 1,500만 원 벌금형이 선고되었다.

"윤미향 의원의 공소장에는 2011년부터 2020년까지 위안부 피해자 후원금 1억 37만 원을 윤미향 의원이 217차례에 걸쳐 부적절하게 사용한 혐의가 담겨 있습니다. 세부내용을 살펴보면 음식점, 교통 과태료, 소득세 납부 등 다양한 곳에서 후원금이 사용된 정황을 발견할 수 있습니다. 종합소득세 납부를 후원금으로 하거나 요가 강사비나 발마사지숍 지출내역이 확인된 점은 아무리 이해하려 해도 시민들의 상식적인 수준에서 납득하기 어려운 상황입니다"

검찰의 공소내용을 그대로 인용하면서 윤미향 의원을 비판(2021.10.5. 정의당 대변인 브리핑)했던 정의당은 정작 1심 판결 이후에는 묵묵부답으로 모른 척 하고 있다. 조국 사태 당시 검찰발 정보를 인용해 조국에게 돌을 던졌던 정의당이 정작 조국 전법무부 장관에게 제기되었던 사모펀드 등 숱한 혐의들이 기소조차 되지 못하였음에도 '아니면 말고'식으로 침묵했던 것과 동일하다.

2023년 9월 2심 재판부(서울고등법원 형사1-3부)는 1심에 비해 엄격한 판단을 내렸다. 1심에서 무죄로 판단했던 국고보조금의 수행인력비를 활동가들이 정대협에 기부한 것을 두고 기부금품법 위반으로 판단하는 등 2개의 혐의를 유죄로 선고하였다. 30여 년 넘게 NGO 활동을 하면서 현대적 회계시스템을 갖추지 못했던 점은 시급히 개선해야 할 것이다. 그러나, 〈검찰 예산검증 공동취재단〉이 밝힌 검찰의 2017년 특수활동비 160억 원 중 74억 원의 사용내역이 부재하고 그나마 사용내역이 존재하는 86억 원의 영수증 대부분이 사용처를 알 수 없도록 지워져 있었다는 점에 비춰보았을 때 윤미향 의원에 대한 2심 판결은 가혹하다고 할 수 있다.

2021년 6월, 의원총회를 거쳐 윤미향 의원을 출당 및 제명조치 했던 더불어민주당은 1심 판결 이후 반성의 목소리를 내고 있다. 이재명 대표는 "검찰과 가짜뉴스에 똑같이 당하는 저조차 의심했으니 인생을 통째로 부정당하고 악마가 된 그는 얼마나 억울했을까" 라고 토로했고, 강민정 의원은 "지난 2년 8개월 동안 '마녀'로 살아야 했던 윤미향은 진짜 죽을 생각도 했다고 최후진술에서 말했다. 그동안 혼자 온갖 공격을 견디며 외롭게 싸워온 윤미향에게 미안하고 고마울 따름"이라고 밝혔다.

반면, 진보를 자처했던 김경율, 서민, 진중권 등의 지식인들은 물론이고 한겨레, 경향, 프레시안 등의 진보언론과 정의당 등의 진보 정치인 중 반성과 사과의 목소리는 들리지 않는다. 2023년 8월 31일 육군사관학교는 항일 독립투사 홍범도 장군의 흉상을 철거해 외부로 이전하고 지청천·이범석·김좌진 장군 및 이회영 선생의 흉상은 철거 후 육사 내 다른 곳으로 이전하겠다고 발표했다.

1-5 [김건희] 쥴리 의혹에 침묵한 진보와 김건희 특검

20대 대선을 두 달도 남겨놓지 않은 2022년 1월 16일, MBC 〈스트레이트〉는 방송사 최초로 그동안 일부 유튜브에서 지속적으로 제기해온 김건희 여사 의혹에 대해 방송했다. 〈서울의소리〉 이명수 기자와 김건희 여사의 7시간 통화내용 녹취록이 공개되는 순간이었다. MBC의 방송은 그동안 수면 아래에 머물러 있던 김건희 여사의 이른바 쥴리 의혹을 비롯한 각종 의혹들이 수면위로 올라오는 계기가 되었다. 3월 9일 대선을 앞두고 정치권이 초긴장하는 순간이었다.

김건희 여사에 대한 의혹은 너무 많아서 일일이 열거하기도 힘들 정도이다. 도이치모터스 주가조작 의혹, 논문 표절 의혹, 모친 최은순씨 통장잔고 조작 의혹, 학력 경력 수상 위조 의혹 등 수많은 의혹이 제기되었지만 사회적 파장을 고려할 때 가장 큰 의혹은 단연 쥴리 의혹이었다. 김건희씨가 젊은 시절 쥴리라는 가명을 쓰고 역삼동 라마다르네상스 호텔 등에서 접대부를 한 이력이 있다는 이른바 '쥴리 의혹'의 핵심은 이 기간 형성한 검사 인맥을 이용해 각종 의혹의 특혜를 받았다는 점이었다.

조국 수사를 진두지휘하며 공정과 상식의 대명사로 떠올라 일순간 대선후보의 자리에까지 오른 윤석열 전 검찰총장에겐 치명적인 사안이 아닐 수 없었다. 윤석열 후보를 배출한 국민의힘과 보수언론은 모든 역량을 동원해 쥴리 의혹을 차단하고 대장동 이슈로 민주당과 이재명 후보를 압박했다.

한편, 조국사태 이후 '민주당 2중대론'을 벗어나기 위해 안간힘을 쓰던 정의당에게 김건희씨를 둘러싼 각종 의혹은 '공정'의 잣대로 엄격히 대응해 실추된 진보정당의 이미지를 회복하기에 더없이 좋은 기회였다. 그 한가운데에 쥴리 의혹이 있었으나 정의당은 침묵했다. 심지어, "지지자들에게 '쥴리' 운운하는 공격을 멈추라 이야기할 책임이 민주당에 있는 것"(2021.8.2. 38차 대표단회의, 강민진 청년정의당 대표)이라며 쥴리 의혹을 '공격'으로 규정하고 민주당에 책임을 묻기도 했다. 또한 "쥴리 의혹의 주장 이면에 사실은 여성혐오와 성 추문에 대한 호기심이 가득하다는 것을 증명해줄 뿐"(2021.7.28. 강민진 청년정의당 대표 페이스북)이라며 쥴리 의혹을 여성혐오 문제로 인식했다.

정의당의 쥴리 의혹에 대한 선택적 침묵과 여성혐오적 인식은 故박원순 서울시장의 사망 당시 정의당의 주요 정치인들이 보여주었던 모습과 극명하게 대비된다. 정의당 류호정 국회의원은 박원순 서울시장 사망 직후인 2020년 7월 10일 "박원순 서울시장을 조문하지 않을 것"이라고 밝혀 사회적 파장을 일으켰으며 같은 당 장혜영 의원도 조문 거부를 밝히며 문재인 대통령에게 입장을 밝히라고 압박하기도 하였다.

쥴리 의혹과 마찬가지로 박원순 시장 성추행 의혹은 그 실체가 제대로 밝혀지지 않았음에도 정의당의 주요 정치인들은 박원순 시장에 대해서는 매우 신속하게 입장을 표명하고 민주당을 비판한 반면, 쥴리 의혹에 대해서는 일제히 함구하거나 의혹제기 자체를 여성혐오적 공격이라고 주장했다.

일명 '김건희 특검법'이라고 불리는 '대통령 배우자 김건희의 도이치모터스 주가조작 의혹 진상규명을 위한 특별검사 임명 등에 관한 법안'이 2023년 12월 28일 국회에서 통과됐다. 더불어민주당이 2022년 8월 김건희 특검법을 최초 발의한 지 1년 4개월 만의 일이다. 국민적 의혹에도 불구하고 김건희 특검법이 1년 4개월이나 지체되었던 이유 중에는 "모든 수단을 동원해 입법을 저지하겠다"던 여당 국민의힘의 비협조 외에 뜻밖의 암초가 자리하고 있었다. 국민의힘 김도읍 의원이 수문장으로 버티고 있는 법사위원회를 우회해 신속처리안건(패스트트랙)으로 지정하려면 본회의 재적의원 5분의 3 즉 180명 이상의 찬성이 필요해 캐스팅보트를 쥐고 있는 정의당과 시대전환의 협조가 필수적이었다.

암초는 여기에서 발생했다. 사사건건 김건희 특검법을 반대하던 시대전환 조정훈 의원은 끝내 국민의힘과 합당했고, 정의당은 "검찰수사를 우선 지켜봐야 한다"며 '특검 시기상조론'과 '여야 합의 처리론'을 폈다. 다른 공범들이 모두 사법처리되었으나 유독 김건희씨에 대해서만 단 한 차례 소환조사도 하지 않은 검찰에 대한 정의당의 무한신뢰가 재현되었다. 국민적 질타에 직면한 정의당이 김건희 특검법 추진을 공식화하였지만 이번에는 내용을 문제삼았다.

최초 민주당 김용민 의원 대표발의한 특검의 수사대상은 ▲도이치모터스 주가 조작 관여 의혹 ▲허위 학력·경력 의혹 ▲코바나컨텐츠 전시회 관련 뇌물성 협찬 의혹 ▲대통령 공관 인테리어 공사 특혜 수주 의혹 ▲대통령 부부 해외 순방 비선 수행 의혹 등 5가지였으나 정의당은 '도이치모터스 주가 조작 수사'만 '원포인트'로 담은 특검법을 발의하겠다고 했다. 결국 민주당의 양보 속에 정의당이 발의한 도이치모터스 주가 조작 수사 원포인트의 김건희 특검법이 국회에서 통과된 것이다.

김건희 특검법이 축소 지연된 채 통과되었지만 윤석열 대통령은 즉각 거부권을 행사했다. 그런데, 특검과 별개로 김건희 여사를 향한 거대한 쓰나미가 몰려오고 있었다. 쥴리 의혹을 비롯해 김건희 씨 의혹을 집중 보도한 〈서울의소리〉가 이번에는 김건희 여사가 디올(DIOR) 명품백을 수수하는 장면을 방송하였다. 보수언론도 더는 인내하기 어려웠다고 판단했는지 〈동아일보〉는 2023년 12월 7일자에서 '김건희 여사는 대통령 관저를 떠나 근신할 것'을 주문했고, 같은 해 12월 네덜란드 국빈 방문 이후 김건희 여사는 5개월 동안 공식 석상에서 자취를 감추었다.

1-6 [이재명] 역대급 비호감 프레임 _ 2022년 대선

급기야 이재명 민주당 대표에 대한 살인미수 정치테러 사건이 발생하였다.

범죄영화에 등장하는 살인범처럼 범인은 상당 기간을 준비하고 민주당 지지자인 척 신분세탁을 한 후 이재명 대표의 공개일정을 쫓아 다니다가 부산 가덕도 기자회견 현장에서 준비했던 칼을 이재명 대표의 목에 그대로 찔러 넣었다. 이재명 대표의 말처럼 "국민이 이재명을 살렸다" 와이셔츠 깃이 아니었다면 범인의 칼이 단 1mm라도 더 깊이 들어갔다면 대한민국 국민은 대선 후보 지지율 1위의 제1야당 대표를 잃을 수도 있었던 긴박한 상황이었다

윤석열 정부의 검경은 신속하게 대응했다. 현장보존은 못할망정 사건 발생 직후 바닥에 흥건하던 이재명의 피를 물청소하여 현장을 훼손하고 이재명 대표가 입고 있던 칼자국이 선명한 와이셔츠를 폐기하도록 방치하여 며칠이 지난 후 의료용 쓰레기 더미에서 겨우 찾을 수 있었다. 범인 스스로 "이재명을 죽이려 했다"고 했음에도, 범인을 살인미수범이 아닌 사전에도 없는 '습격범'이라 호칭해 정치테러의 성격을 고의적으로 은폐 왜곡했다. 또한 장기간 준비한 정황이 곳곳에서 드러났음에도 사건 초기부터 단독범행인 것처럼 언론에 흘렸다.

길들여진 언론은 검경의 발표대로 살인미수범을 습격범이라 호칭하고, 정치테러 사건의 원인 배후를 조명하기 보다는 헬기이송 특혜논란과 같은 악의적 보도에 치중하고 '노인', '과도', '경상'과 같은 확인되지 않은 정보를 이용해 사건을 축소하는데 급급했다. 2006년 박근혜 전 한나라당 대표의 면도칼 피습사건 때의 전방위적 보도와는 전혀 다른 모습이다.

이재명 대표에 대한 악마화가 본격화된 시기는 2022년 20대 대선이었다. 국민의힘 윤석열 후보가 본부장(본인 부인 장모) 비리 혐의로 거센 검증을 받았다면, 민주당 이재명 후보에게는 일종의 악마화 과정이 진행되었다. 보수언론이나 기득권층이 보기에 이재명은 절대 대통령이 될 수 없는 인물임에도 당시 여당이었던 더불어민주당의 대선후보가 될 정도로 국민적 인기가 높았다. 이재명은 영남 태생이었지만 초등학교를 졸업하고 곧장 공장에 일하러 나간 국졸 소년공 출신이었다. 검정고시로 중앙대 법대에 입학하긴 하였으나, 성남 산동네의 도시빈민 출신인 것을 숨길 수는 없었다. 소년공 출신 이재명은 너무 가난했고 가진 게 없었고 거친 세상을 온 몸으로 맞닥뜨릴 수 밖에 없었다.

이재명이 겪은 거친 인생은 악마화의 좋은 소재가 되었다. 형과의 갈등 속에 불거진 형수욕설 논란, 음주운전, 여배우 스캔들, 검사사칭 등 대선이 본격화하기 전부터 이재명에 대한 악마화 과정은 널리 퍼져 나갔다. 여기까지가 예선이었다면 대선 레이스가 시작하면서 본격적인 공세가 진행되었다. 이재명 후보의 대장동 개발 의혹이 전면화하면서 이른바 역대 최악의 비호감 대선이 시작되었다.

대선을 불과 140여 일 남겨둔 2021년 10월 20일 경기도청에서 열린 경기도 국정감사는 전국민적 관심을 불러일으켰다. 대장동 게이트로 매일같이 언론에 오르내리는 이재명 경기도지사가 출석하는 자리였기 때문이다. 국민의힘과 이재명 경기도지사의 뜨거운 공방을 예상했던 국민들은 뜻밖의 광경을 시청해야 했다. 이 날, 가장 날카로운 창을 무기로 들고 공격한 것은 같은 민주진보진영으로 여겨졌던 정의당의 심상정 국회의원이었기 때문이다. 심상정 의원은 미리 준비한 '돈받은자=범인, 설계한자=죄인'이라는 문구의 피켓을 들고 대장동 사업을 설계한 이재명 경기도지사가 죄인이라며 날선 공방을 벌였다. 10월 18일 국정감사장에서 이재명 경기도지사가 국민의힘의 거센 공세에 맞서 '돈받은자=범인, 장물나눈자=도둑'이란 손팻말을 들고 방어한 것을 조롱하는 듯한 피켓이었다.

심상정 정의당 대선후보와 이재명 민주당 대선후보가 격돌한 경기도 국정감사가 중계된 10월 20일 인터넷과 SNS는 뜨거운 반응을 나타냈다. 주로 보수적인 온라인 커뮤니티에서는 '역시 돌아온 심상정 최고다. 이재명 꼼짝 말아라'라며 심상정 정의당 후보를 치켜세우는 글이 올라왔고, 진보적인 커뮤니티에선 심상정 후보와 정의당에 대한 배신감을 토로하는 비판글이 줄을 이었다. 2021년 10월 20일은 한국 정치권에서 중요한 날로 기록될 것이다. 1987년 6

월 항쟁으로 쟁취한 대통령 직선제 이후 중도성향의 민주당과 진보성향의 진보정당이 선거시기마다 연대하던 민주대연합이 더 이상 불가능하다는 사실을 시민들이 깨닫는 계기가 되었기 때문이다.

[그림 1-6] 경기도 국정감사에서 피켓을 들고 질의하는 심상정 의원_조선일보

중앙선거방송토론위원회가 주관하는 20대 대통령선거 방송토론회는 2022년 2월 21일 1차 경제분야 토론회를 시작으로 2월 25일 2차 정치분야, 3월 2일 3차 사회분야 토론으로 진행되었다. 3월 3일, 안철수-윤석열 후보단일화 이전에 진행된 3차례의 방송토론회는 민주당 이재명, 국민의힘 윤석열, 정의당 심상정, 국민의당 안철수 후보 4명이 공방을 벌였다. 정의당의 반이재명 반민주당 기류를 읽지 못한 언론은 이재명, 심상정 진보후보 2명과 윤석열 보수후보, 안철수 중도후보의 격돌을 예상했지만 결과는 이재명(1) vs 반이재

명 후보(3)의 구도였다. 이재명 악마화의 구도가 비로소 완성되는 순간이었다.

국민의당 안철수 후보는 토론회 내내 소극적인 모습을 보이더니 3차 사회분야 토론회 다음날인 3월 3일 윤석열 후보와 후보단일화를 선언하고 사퇴하였다. 지지율 1, 2위를 다투던 윤석열과 이재명 후보의 한 치 양보없는 격돌은 국민들이 예상하는 장면 그대로였다. 10월 20일 경기도 국정감사 이후 민주대연합의 가능성이 사라져버린 이재명과 심상정 후보는 정치 경제 사회 전 분야에 걸쳐 치열한 공방을 이어갔다. 특히 심상정 후보는 대장동 이슈를 끝까지 물고 늘어졌고 모든 언론의 대선 뉴스는 이재명의 대장동 게이트로 뒤덮였다.

정의당의 천호선 전 대표는 2023년 6월 23일 저자와의 인터뷰에서 20대 대선을 복기하면서 이렇게 밝혔다. "저는 2022년 대선을 앞두고 심상정 후보를 만나 '선연정제안'을 하였습니다. 기다리지 말고 정의당과 심상정 후보가 먼저 민주당과 이재명 후보측에 연립정부를 제안하자는 것이었습니다. 그랬다면 정의당의 지지율은 20% 가까이 폭등했을 거라 생각했습니다만 받아들여지지 않았습니다. 민주대연합론의 반대는 국가폭력의 일상화입니다"

20대 대선에서 천호선 전 대표와 일부 정의당 당원들의 제안이 받아들여졌다면 대선 결과는 달랐을 것이다. 민주대연합을 걷어차고 끈질기게 대장동 게이트를 붙잡고 이재명 악마화에 동참한 결과는 이재명을 넘어 야당 전체와 노동조합, 시민단체를 악마화하는 국가 폭력의 일상화였다. 윤석열 대통령 당선 이후 이재명 민주당 대표는 6차례에 걸쳐 검찰 소환조사를 받았고, 376회(2023년 9월 기준)가 넘는 압수수색을 당했음에도 2023년 9월 27일 영장실질심사가 기각되었다. 그리고, 2024년 1월 2일 이재명 대표 암살미수 정치테러 사건이 발생했다. 같은 해 4월 11일, 22대 총선에서 낙선한 정의당 심상정 의원은 '진보정치의 소임을 내려놓는다'며 정계은퇴를 선언했다.

1-7 [박원순] 박원순은 생각하지 마

"우선 이렇게 밤 늦은 시간에 기자 여러분들을 불러내어 송구합니다. 그러나 저는 지금 매우 절박한 심정으로 이 자리에 섰습니다. 워낙 중요하고 심각한 문제라고 판단해서 서울시는 금일 저녁 긴급 대책회의를 열었습니다. 그 결과를 말씀드리겠습니다"

2015년 6월 4일 저녁 10시 40분, 박원순 서울시장은 긴급 기자회견을 시작하면서 이렇게 입을 열었다. "확진 판정을 받은 35번 환자가 1,565명이 참석한 개포동 재건축 조합행사에 참석해 대규모 인원이 메르스 감염 위험에 노출되게 되었다"며 그런데, "보건복지부와 질병관리본부는 35번 환자에 대한 정확한 정보도 갖고 있지 않았고 이후 동선은 물론 1,565명의 재건축 조합 행사 참석자들 명단도 확보하고 있지 않았다"고 폭로했다. 그리고, "이 시간 이후부터는 제가 직접 대책본부장으로 서울시의 모든 행정력을 총동원해서 메르스 확산 방지와 시민의 안전을 지키는 길에 집중해 나갈 것입니다"라고 밝혔다.

긴급 기자회견의 파장은 컸다. 바로 다음 날, 박근혜 대통령은 메르스 확자 확진 16일 만에 처음으로 국가 지정 격리병상이 있는 국립중앙의료원을 방문했고 보건복지부는 전수조사 실시 등의 대책을 내놓았다. 이 때만해도 전염병이 전 세계를 마비시킬 수 있을 것이라고 예상하는 사람은 거의 없었다. 코로나19 팬데믹이 물류와 이동을 마비시키고 K-방역이 전 세계의 호평을 받던 2020년 여름 박원순 서울시장은 홀로 북한산 깊은 자락으로 들어갔다.

2011년 10월 27일 헌정사상 최초의 무소속 서울시장으로 당선된 박원순은 2020년 7월 9일 사망하기까지 3선의 역대 최장기 서울시장이었다. 2016년 가을부터 이듬해 봄까지 “이게 나라냐?”며 터져나온 국정농단 촛불항쟁 당시 단 한건의 사건사고도 발생하지 않을 정도로 광화문 광장을 안전하게 보장해준 서울시장이기도 했다. 2017년 1월 26일 더불어민주당 19대 대선후보 불출마 선언을 하면서도 “국민의 염원인 정권교체를 위해 더불어민주당 당원으로서 제가 할 수 있는 모든 노력을 다할 것"이라며 ”정권교체 이후 민주개혁세력의 단결을 통해 새로운 정부가 성공할 수 있도록 최대한 노력할 것"이라고 밝히기도 했다.

그랬던 서울시장이었기에 ‘박원순 실종’ 속보에 사람들은 두 손을 모으고 발을 동동 구르며 제발 아무일 없기를 간절히 기원했다. 그러나, 북한산에서 발견된 박원순 시장은 이미 숨을 거둔 상태였다. 미국, 영국, 프랑스, 독일, 일본, 중국 등 외신들은 “유력 차기 대권주자이자 대한민국 수도의 현직 시장이 실종된 후 사망했다”는 속보를 앞다투어 보도했다.

변호사 박원순은 1997년 국가보안법연구(역사비평사)라는 책을 출간하면서 ‘국가보안법이 인류가 발전시켜온 제반 법률적 원리에 어긋날 뿐만 아니라 세계에 유례 없는 사상의 탄압법인 동시에 시대착오적인 독재의 유물'이라고 규정하며 국가보안법 폐지를 주장하였다. 그런데, 2020년 박원순 시장이 사망한 후 한국 사회는 한 번도 경험한 적 없는 초헌법적 논쟁에 휩싸이게 된다.

정의당 류호정 국회의원은 박원순 서울시장의 시신이 발견된 7월 10일, "박원순 서울시장을 조문하지 않을 것"이라고 밝혀 엄청난 파장을 일으켰다. 사건의 실체는 물론이고 아직 장례가 끝나지도 않은 상황에서 진보정당의 국회의원이 공개적으로 표명한 것이라 충격이 더했다. 같은 당 장혜영 의원도 류호정 의원의 조문거부 입장을 지지한다면서 문재인 대통령에게 입장을 밝히라고 압박하기도 하였다. 2018년 서울시장 선거에서 녹색당 후보로 출마해 박원순 후보와 경쟁하며 4위의 돌풍을 일으켰던 신지예 녹색당 공동위원장은 '박원순 더러워'라고 적힌 피켓을 들고 '박원순 성폭력사건 국민감사청구 서명운동'을 벌이기도 했다.

정의당에 대한 비판이 거세지자 심상정 대표는 7월 14일 "두 의원의 메시지가 유족분들과 시민의 추모 감정에 상처를 드렸다면 대표로서 진심으로 사과드린다"고 밝히면서 "성폭력과 성희롱 2차 피해 방지법 제정을 시급히 촉구한다"고 말했다.

하루 전날인 7월 13일, 박원순 시장을 성추행 혐의로 고소한 고소인 측 김재련 변호사와 여성단체는 '서울시장에 의한 위력 성추행사건 기자회견'을 열고 "이 사건은 전형적인 직장 내 성추행 사건임에도 피고소인이 망인이 돼 공소권 없음으로 형사 고소를 진행 못한다. 그러나 이 사건은 결코 진상 규명없이 넘어갈 수 있는 사안이 아니다"라며 "사건의 실체를 밝히는 것이 인권 회복의 첫 걸음이다"라고 말했다.

"사건의 진상을 규명하고 실체를 밝히는 것이 인권 회복의 첫 걸음"이라던 여성단체의 목소리는 이후 전혀 다른 방향으로 전개된다. '2차 가해 금지'라는 그동안 한국사회에서 깊이 있게 논의되지 못한 프레임이 강하게 작동하면서 오히려 사건의 진상규명과 실체를 가로 막았다. 2018년 12월 24일 제정되고 2019년 12월 25일부터 시행된 여성폭력방지기본법 제3조(정의) 3항에 '2차 피해'라는 용어의 설명과 구체적인 내용이 담겨있긴 하지만, '2차 가해'라는 개념은 기존 법체계에서 찾아볼 수 없는 것이었다. 그럼에도, '2차 가해' 프레임은 순식간에 모든 언론의 뉴스를 장악하고 정치권과 시민사회의 사람들을 규정하는 잣대로 작용했다.

추가 증거를 내놓겠다던 김재련 변호사와 여성단체 측에 구체적인 증거를 요청하는 것은 '2차 가해'로 규정되었다. 박원순 시장의 어깨에 손을 얹은 고소인의 사진이 공개되고 고소인이 발송한 SNS 메시지 등이 밝혀지며 시민들이 혼란스러워 하였으나 '2차 가해'라는 장벽 앞에 입을 다물어야 했다. 조희연 서울시 교육감은 자신의 페이스북에 "시장 박원순이 있었기에 세월호와 촛불항쟁의 광장이 열렸다고 생각한다. 역사에서 우리의 민주주의를 오늘까지 진척시킨 주역이었다고 감히 말하고 싶다"고 밝혔다가 2차 가해라는 비판을 받기도 했다.

박원순 이름을 공개적으로 밝히는 것은 용기가 필요한 일이 되었다.

'50인의 증언으로 새롭게 밝히는 박원순 사건의 진상'이라며 2021년 3월 박원순 사건을 재조명한 '비극의탄생'(왕의서재)을 출간한 오마이뉴스 손병관 기자는 회사로부터 정직 1개월의 징계를 받아야 했다. '박원순을믿는사람들'이 2023년 제작한 다큐멘터리 영화 '첫 변론'은 서울시(서울시장 오세훈)와 피해자 측이 '2차 가해'에 해당한다며 제기한 상영금지가처분 신청이 받아들여져 상영이 금지되기도 했다(서울남부지법 민사합의51부_김우현 부장판사).

박원순은 떠나갔지만, 2차 가해 프레임은 날카로운 부메랑이 되어 사회 곳곳을 날아다니고 있다. '2차 가해' 여부로 민주당과 날선 공방을 벌였던 정의당의 김종철 대표는 2021년 장혜영 국회의원이 제기한 성추행 사건으로 제명되었으나 사건의 실체는 '2차 가해'라는 장벽에 가로막히는 일이 발생했다. 심지어 정의당의 당원 여부와 상관없이 사건 진상을 궁금해하는 시민들의 온라인 게시물을 '2차 가해'라며 제보를 받겠다고 했다가 취소하는 소동을 벌이기도 했다.

'박원순 더러워'라고 적힌 피켓을 들고 캠페인을 벌였던 신지예 전 녹색당 공동위원장은 2021년 12월 국민의힘 윤석열 대선후보 캠프 '새시대준비위원회' 수석부위원장으로 영입되었다가 20대 남성표를 의식한 이준석 등의 기류에 밀려 흐지부지되었다. "박원순 시장을 조문하지 않겠다"던 정의당 류호정 의원은 2024년 1월 정의당을 탈당하고 22대 총선 경기 분당갑 출마를 준비하였으나 지지율 1%에 고전하던 중 "제3지대 정치는 실패하였다"며 중도 포기하였다.

1-8 [한겨레] 대장동과 한겨레

지금까지 2019년 조국사태 이후 정봉주, 한명숙, 윤미향, 김건희, 이재명, 박원순을 둘러싼 정치사회적 이슈들을 되짚어 보았다. 일련의 사건에서 공통적으로 발견되는 현상은 그동안 우리가 진보라고 알고 있던 세력의 입장과 태도가 모호하거나 때로는 지나치게 검찰 측 입장을 대변하고 있다는 사실이었다. 이러한 상황에서 한국사회의 대표적 진보언론으로 알고 있던 한겨레신문의 고위 간부가 대장동 개발업자 김만배씨와 돈거래를 했다는 사실이 밝혀져 충격을 주었다.

〈한겨레〉는 돈거래 사건이 언론에 공개된 직후 진상조사위원회를 구성하여 2023년 2월 26일 '한겨레 윤리는 어디에서 실패했나'라는 제목의 '한겨레 간부 돈거래사건 진상조사보고서'를 발표했다. 진상조사보고서는 당사자인 석진환 한겨레 신문총괄(진상조사위원들이 논의 끝에 보고서에서 실명을 밝힌 점을 존중해 실명을 표기함)과 김만배씨의 돈거래가 한겨레신문의 기사에 미친 영향은 없는 것으로 판단했다. 필자는 보고서의 조사결과를 존중하지만, 보고서에서 스스로 밝히고 있듯이 한계가 있는 보고서였음을 확인하며 다른 방식으로 이 사건을 들여다보았다.

먼저, 어떻게 이런 일이 수년에 걸쳐 진행되도록 한겨레 구성원 누구도 몰랐을까 하는 의구심이 들었다. 그래서 한겨레 기자들은 대장동 사건에 대해 무슨 생각을 갖고 있었는지 궁금했다. 이에 대해 진상조사위원들이 인터뷰한 한겨레 기자들의 공통된 생각은 '대장동=이재명' 이슈로 인식했다는 사실이 밝혀졌다.

"대장동 이슈의 큰 방향이 최근 들어서는 이재명 더불어민주당 대표의 연관성 및 검찰 수사에 관한 논란에 맞춰져 있었기에 김만배의 언론인 상대 로비 의혹 등은 대장동 사건의 본류가 아니라는 판단 때문에 〈뉴스타파〉 보도에 크게 주목하지 않았다는 진술이 많았다"

-한겨레 간부 돈거래사건 진상조사보고서 31페이지

다음으로, 진상조사보고서에서는 다루지 않은 대장동 돈거래 전후 시기 석진환 신문총괄의 주요 칼럼 내용을 들여다보았다. 석진환은 2019년 돈거래가 처음 이뤄졌을 당시 정치팀장으로서 정치분야 보도를 직접 책임졌고, 이후 이슈부국장, 사회부장, 신문총괄 등 편집국의 고위 간부를 맡아 왔다. 석진환이 맡고 있던 신문총괄은 '편집국장을 보좌하며 편집국장의 위임을 받아 종이신문 제작 전담부서를 총괄'하는 등 지면에 실릴 기사의 선택이나 면 배치에서 막강한 권력을 갖는 고위 간부직이다.

한겨레 기자의 집을 사줘야 한다

2023년 1월 5일 〈SBS〉의 최초보도 이전인 2022년 3월 5일 〈동아일보〉는 "김만배, 기자 집 사준다며 돈 요구…6억 전달"이라는 제목의 기사에서 〈한겨레〉라는 신문사 이름만 등장하지 않았을 뿐 해당 사건을 보도했다. 같은 날, 석진환 기자는 평소 친하게 지내던 후배이자 대장동 보도 주무부서장인 〈한겨레〉 사회부장을 만나 처음으로 해당 사실을 말했다고 한다.

그런데, 어찌된 일인지 〈한겨레〉 사회부장은 2022년 3월 5일자 〈동아일보〉의 기사에 대해 사회부 내 법조팀 기자들에게 아무런 사실 확인 지시를 하지 않았다. 그리고 석진환 기자가 대장동 김만배 씨와 연관되어 있다는 사실을 알고도 2023년 1월 5일 〈SBS〉의 폭로기사가 나오기까지 회사에 보고하지 않았다.

2022년 5월 25일 서울중앙지법 형사합의22부에서는 대장동 일당으로부터 50억 원 뇌물을 받은 혐의의 곽상도 전 국민의힘 국회의원 재판이 열렸다. 이날 재판에서는 남욱 변호사 증인신문 과정에 〈한겨레〉 기자와 김만배의 충격적인 돈거래 사실이 공개됐다. 〈한겨레〉 신문사 이름이 정확히 거명된 2022년 5월 25일 재판내용에 대해 한겨레신문 사회부 법조팀 소속 서울중앙지검 출입기자, 법조팀장, 사회부장, 국장단, 편집국장 누구도 주목하지 않았다.

2022년 12월 29일 〈뉴스타파〉는 '대장동 키맨 김만배 기자들에게 현금 2억씩, 아파트 분양권도 줬다'는 기사에서 언론계 로비 의혹을 더욱 구체적으로 보도했으나 〈한겨레〉는 주목하지 않았다.

석진환의 펜 끝이 향하는 곳

차용증 없이 9억 원이라는 큰 돈을 주고 받았을 때에는 그만한 대가가 있었을 것이므로 석진환 신문총괄의 펜 끝이 어디를 향하고 있었는지 살펴보았다. 석진환의 기사 중 비중 가치가 높은 '편집국에서' 실명 칼럼을 중심으로 분석했다.

문 대통령이 책에 쓴 것처럼 진보적 가치에 대한 자부심으로 우월감을 갖지 않았는지, 겸허한 반성이 필요한 때가 다시 온 듯하다. '징후'들은 차고 넘친다.

-다시 '싸가지 없는 진보'를 경계할 시기 (2019.1.7.)

민주당을 지지했던 중도층이 조금씩 떠나기 시작한 지 꽤 됐다. 민주당이 이 문제를 해결할 수 있을까. 이런 문제에 대해서도 당내 누군가가 공개적으로 말할 수 있을까.

-민주당에 드리운 위험한 침묵 (2019.11.1.)

석진환은 2019년 5월 3억 원을 시작으로 2019년 8월 1억 5천만 원, 2019년 12월 1억 5천만 원, 2020년 4월 1억 5천만 원, 2020년 8월 1억 5천만 원을 매번 김만배를 만나 하나은행 발행 수표로 직접 받았다. 2020년 2월이면 석진환(당시 정치팀장)이 김만배씨에게 6억 원 정도를 수령했을 시기이다. 이 시기 석진환 정치팀장은 '노련한 검찰, 자충수 두는 정부'라는 제목의 칼럼에서 윤석열 검찰의 우수성에 비해 문재인 정부가 얼마나 무능한지를 아래와 같이 기술하였다. 이 칼럼에는 한겨레를 기득권 기레기(기자와 쓰레기의 합성어)로 지칭하는 댓글이 달렸다. 한겨레가 언제부터 기레기로 불리웠는지는 확실하지 않지만, 대략 조국 사태를 경과하면서 조선 중앙 동아일보와 같은 기레기로 지칭되었다.

> 검찰이 얼마나 유능한지 장황하게 쓴 이유는 이런 능력자 검찰을 상대하는 정부와 여권 인사들의 미숙한 대처가 못내 안쓰러워서다. 검찰이 뿌려놓은 지뢰가 여기저기서 펑펑 터지는 느낌이랄까.
>
> -노련한 검찰, 자충수 두는 정부 (2020.2.13.)
>
> 2020년 21대 총선을 앞두고 석진환 정치팀장의 펜 끝은 날카로워진다. 무사가 검으로 상대의 심장을 찌른다면 기자는 펜으로 상대의 인격과 명예를 향해 공격한다. 그의 펜 끝이 향한

곳은 바로 더불어민주당이었다. 처음에는 조선·중앙 동아일보 및 여타의 언론들처럼 양비론을 펼치다가 이내 설정한 목표를 향해 정확히 펜 끝을 조준하여 찌른다. 그리고는 조선·중앙·동아일보처럼 언론의 가면을 쓰고 훈계한다. 2020년 총선과 2022년 대선, 지방선거의 3대 선거에서 민주당에 덧씌여진 이른바 '내로남불' 프레임은 이렇게 만들어졌다. 같은 진보진영으로 믿었던 한겨레의 이런 칼럼은 조선·중앙·동아일보의 악담과는 비교하기 힘들 정도로 상처가 깊다. 그럼에도 불구하고, 2020년 21대 총선에서 더불어민주당은 163석, 더불어시민당은 17석을 얻어 180석으로 압승을 거두었다.

그들만의 몰염치와 꼼수, 이기적인 정치공학이 노골적으로 진행 중이다. 정치 퇴행이다. 이런 퇴행의 책임에서 보수,야당도 자유로울 수 없지만 판이 이 지경에 이른 가장 큰 책임은 더불어민주당에 있다.

개인적으론 최근 민주당이 보여주는 이런 행보가 여러모로 조국 사태의 어떤 지점과 닮았다고 생각한다. 조국 사태 때 뼈저리게 겪었던 교훈이나 중요한 성찰의 지점을 민주당은 지금도 놓치고 있다. 그때 많은 사람이 실망했던 건 진보·개혁 진영의 이중성을 봤기 때문이다. '아닌 척 고고하게 굴더니 실은 너희도 똑같네'라는 생각이 들면 더 분노하고 낙담할 수밖에 없다.

이대로라면 많은 민주당 후보들이 벚꽃 구경은커녕 차돌 같

> 은 민심을 만나게 될지 모른다.
>
> '-조국 교훈' 잊은 위태로운 민주당 (2020.3.19.)

김만배씨에게 약 7억 5천만 원을 수령해 이제 한 차례 1억 5천만 원만 더 받으면 본인이 그토록 원하던 서초구 아파트의 중도금 납부를 앞둔 시점에 석진환 (당시 이슈 부국장)은 〈한겨레〉에 '누구도 양심을 장담할 수 없다'는 편집국 칼럼을 게재한다. 지금 돌이켜 보면 '누구도 양심을 장담할 수 없다'는 바로 본인 자신을 향한 말이었음을 알게 되지만 그의 펜 끝은 여전히 날카롭다. 그가 정조준한 대상은 한명숙 전 국무총리였다. 2020년 6월은 검찰의 강압 조작수사에 의한 한명숙 전국무총리 사건이 전면 재조명되던 시기이다. 1심 판결에서 뇌물을 주었다는 곽영욱 전 사장에 대한 강압 수사가 드러나 무죄 판결되었고, 2심 정치자금 판결의 결정적 증인이었던 한만호 전 한신건영 대표의 강압 조작수사를 입증하는 비망록이 〈뉴스타파〉에 의해 공개된 시점이었다. 검찰의 불법적 강압 조작수사에 대한 규탄여론이 들끓던 시점에 〈한겨레〉는 편집국 칼럼을 통해 이렇게 훈계했다.

> 재심이 가능하지도 않고, 정치적 명예를 회복하려는 시도는 한 전 총리에게 더 깊은 상처만 남길 가능성이 커 보인다. 그 사람이 평생 감내했던 희생과 노력을 이유로 정치적 면죄부가 주어지거나 잘못에 대한 냉정한 평가와 비판이 위축될 일도 아

> 니다.
>
> 총선을 통해 177석의 최대 권력이 된 직후 보여준 민주당의 처신도 많은 국민에게 오만하게 비쳤을 것이다. 진보개혁 세력이 양심과 도덕에서 우위에 있다고 생각하는 시대는 지나가고 있다. 누구도 양심을 장담할 수 없다.
>
> -누구도 양심을 장담할 수 없다 (2020.6.4.)

대장동 개발업자 김만배씨와 한겨레 고위간부의 돈거래가 이뤄졌던 2019년 5월 이후 2020년 9월까지 석진환 기자의 주요칼럼을 시간선(타임라인)으로 정리해 보았다.

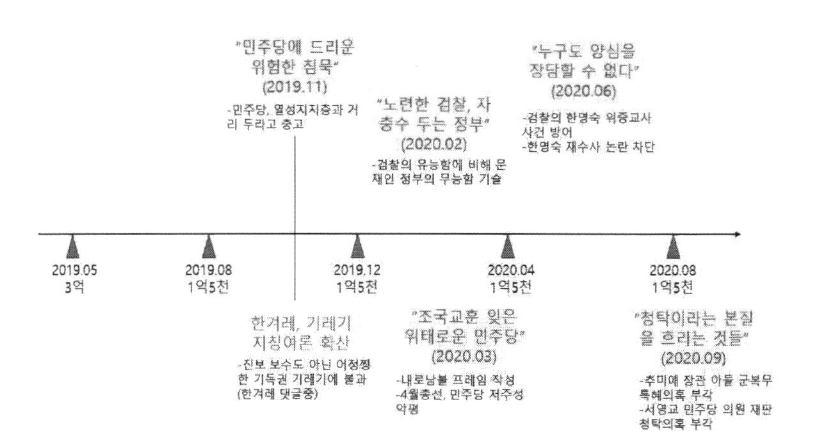

[그림 1-7] 대장동 김만배와 한겨레 고위간부 돈거래 시점의 한겨레 주요칼럼 분석

창간 35주년을 맞은 2023년 5월 15일, 한겨레는 돈거래 사건으로 실추된 신뢰를 회복하고자 '35살 한겨레가 다시 뛥니다'라는 다짐을 발표하였다. 눈에 띄는 대목은 '한국 언론은 그동안 검찰 수사에 대해 과도한 의미를 부여하고 과잉 보도를 해왔습니다'라며 '한겨레부터 변하겠습니다. 우선 검찰 수사 단계의 보도를 줄이고 법원 재판 중심 보도를 강화하겠습니다'라는 다짐이다. 이 약속이 얼마나 지켜질지 한겨레가 기레기라는 오명을 벗고 진짜 진보언론으로 거듭날 수 있을지 지켜볼 일이다.

<섹터2> 가짜진보

중국은 사회주의 국가가 아니다?

19세기 마르크스의 눈으로 21세기 한국 민주당을 비판하다

아파트 _ 2022 대선 패배 키워드

검찰-언론-진보 3각 매커니즘

지금까지 문재인 정부이후 검찰과 언론에 의해 조리돌림 당했던 정봉주, 한명숙, 윤미향, 박원순, 이재명 그리고 조국사태 등에 대해 살펴보았다. 위 사건들의 공통점은 검찰과 언론의 뿌리깊은 유착 외에 한 가지의 요소 즉 진보의 역할이 주요하게 존재했음을 발견한다. 2부에서는 오랜 기간 군부독재정권에 맞서 싸우고 민주주의와 노동·통일·인권에 앞장섰던 한국의 진보가 왜 검언유착에 동조하면서 민주당과 대립각을 세우게 되었는지 그 원인과 배경에 대해 살펴본다.

2-1 중국은 사회주의 국가가 아니다?

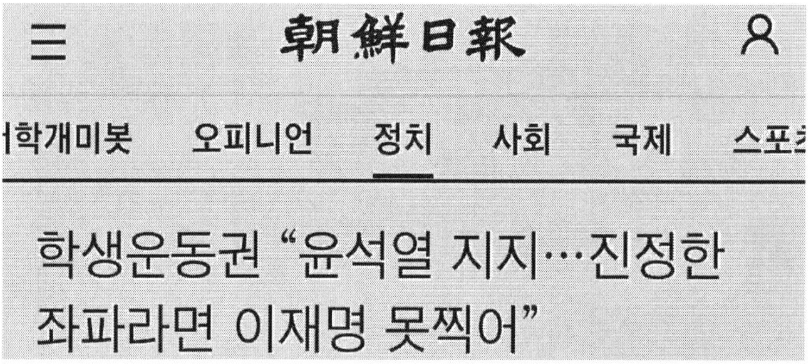

朝鮮日報

ㅓ학개미봇 오피니언 정치 사회 국제 스포ㅊ

학생운동권 "윤석열 지지…진정한 좌파라면 이재명 못찍어"

[그림 2-1] 윤석열 대선후보 지지선언 발표한 좌파 학생운동단체 (조선일보, 2021.11.5.)

2021년 11월 5일, 국민의힘 대통령 후보로 윤석열 후보가 당선된 직후 가장 먼저 지지선언을 발표한 곳은 믿기 어렵지만 좌파 학생운동단체 전국학생행진이었다. 전국학생행진은 학생운동중 흔히 PD(People's Democracy 민중민주)라고 불리는 좌파계열의 계보를 잇는 단체로 민주당에 대해서는 사기꾼 수준으로 폄하하면서 윤석열 후보는 자유주의자이자 법치주의자로서 국제정세에도 밝다고 평가하였다. 그러면서 진정한 좌파라면 정권교체에 나서야 한다고 밝혔다. 조선일보가 이런 특종을 놓칠리 없었다. 같은 날 '학생운동권 윤석열 지지…진정한 좌파라면 이재명 못찍어'라는 제목의 기사로 대서특필 하면서 윤석열 후보에게 힘을 실어주었다.

당시, 좌파계열 온라인 커뮤니티에선 엄청난 반향이 일었는데 윤석열 후보를 지지하는 일부 선배그룹이 학생들을 내세워 입장문을 발표한 것이란 주장이 제기되기도 하였다. 사실 한국 좌파가 민주당에는 적대적이고 국민의힘 계열 정치세력에는 너그러운 것이 어제오늘의 일이 아니었지만, '좌파'와 '진보'를 혼동해서 사용하는 한국적 현실에서 이 문제를 제대로 분석한 사람은 거의 없었다.

윤석열 후보 지지선언을 발표한 전국학생행진은 사회진보연대라는 단체와 밀접한 관계를 맺고 있던 학생운동조직이었다. 사회진보연대는 1998년 IMF 이후 신자유주의에 맞서는 새로운 대안적 사회운동을 만들기 위해 출범한 단체로 마르크스주의적 대안을 모색하며 다양한 진보운동을 펼쳤던 곳이다. 그랬던 사회진보연대가 20대 대선을 앞두고 '윤석열 후보 지지선언' 논쟁으로 극심한 내홍을 겪는다. 윤석열 지지선언을 주장한 사람은 사회진보연대 부설 노동자운동연구소의 한지원 연구원으로 전국학생행진의 발표에도 영향을 준 것으로 알려졌다. 한지원 연구원은 오랜 기간 〈매일노동뉴스〉의 칼럼리스트였고, 정의당의 노동경제분야 강사로도 활동한 진보운동가였다. "이재명만은 무조건 막아야 한다"던 한지원은 대선 이후 중앙일보 필진으로 합류해 '조국을 매카시즘적 선동가'로 '유시민을 반지성주의자'라며 비판하더니 금태섭, 류호정 등이 주도한 신당 '새로운선택'의 정책위원장이 되었다.

사람들은 흔히 '좌파'라는 단어와 '진보'라는 개념을 혼용해서 사용하지만, '좌파'는 주로 마르크스주의에 기반한 좁은 의미의 스펙트럼을 뜻하고 '진보'는 그보다 넓은 광의의 개념으로 사용된다. 20대 대선 시기 윤석열 후보를 지지했던 학생운동 그룹과 선배 활동가들은 진보라기 보다는 좌파로 분류하는 것이 더 정확하다. 어떻게 좌파가 보수정당인 국민의힘과 윤석열 후보를 지지할 수 있는지를 이해하려면 한국 좌파의 특이한 역사를 살펴볼 필요가 있다.

1979년 12월 12일, 군사쿠테타로 정권을 찬탈한 전두환·노태우 군사독재정권은 1980년부터 1992년까지 12년 동안 한국 사회를 지배했다. 같은 기간, 독재정권에 맞서 군부독재 타도를 외치던 대학생들은 군부독재 이후의 한국사회에 대해 치열하게 고민했다. 최류탄과 화염병이 난무하던 대학가에서 대학생들의 선택은 자연스럽게 사회주의로 모아졌다. 그 시절, 학생운동을 조금이라도 경험한 대학생이라면 사회주의를 지향하는 것이 당연했고 마르크스주의를 공부하는 것이 필독서처럼 받아들여졌다.

군부독재정권이 종말을 향해 달려가던 1991년 사회주의를 지향하던 한국의 청년들에게 청천벽력 같은 소식이 전해졌다. 사회주의 종주국이었던 소련(소비에트 사회주의 공화국 연방)이 붕괴된 것이다. 소련과 함께 사회주의를 지키던 동독은 1990년 서독에 사실상 흡수통일 되었고, 비슷한 시기 헝가리, 폴란드, 유고슬라비아, 체코슬라비아, 루마니아 등 동유럽 사회주의 국가들의 사회주의 체제가 붕괴되었다. 1987년 6월 항쟁을 승리로 이끌었고 이후 학생운동, 노동운동, 농민운동 등 대중운동의 급속한 성장으로 노태우 군부독재정권의 종식을 눈앞에 두고 있던 청년들은 일대 혼란에 빠진다.

1980년대 사회주의를 지향하던 청년들은 1991년 소련의 붕괴로 큰 충격을 받은 후 대부분 각자도생의 길을 찾아 나섰는데, 여전히 학생·노동·진보정당 운동을 지향하던 청년과 지식인들도 적지 않았다. 이 때부터 한국의 좌파에는 이상한 기류가 형성되었다. 사회주의 종주국 소련의 붕괴에도 계속 사회주의를 지향할 것인지가 뜨거운 논쟁이었다. 시간이 흐르면서 사회주의를 드러내어 주장하는 사람은 줄어들었지만, 사회주의적 가치와 지향을 간직한 활동가들은 의외로 많았다. 문제는 여기에서 발생했다.

현실적으로 사회주의를 주장하지는 않지만 사회주의적 가치와 지향을 내포한 한국 좌파는 '자유주의적' 또는 '중도우파'로 민주당을 규정하며 적대시하였다. 유럽의 정치지형을 보았을 때 한국에서도 좌파가 적어도 50%의 권력을 배분받아야 마땅한데, 리버럴 중도우파 정당인 민주당 때문에 가로막힌다고 생각했기 때문이다. 특히 1980년대 함께 군부독재정권과 싸우던 86세대가 민주당에서 큰 세력을 형성할 정도로 정치적 성공을 이룬 것에 대해 분노했다. 민주당이 권력을 잡았을 때에는 마치 '모든 것이 민주당 때문'이라는 듯 세상 모든 불평등 문제의 원인을 민주당에게 돌렸다. 국민의힘 계열 보수정당이 집권했을 때보다 더 격한 감정이 표출되었다.

한편, 1993년 최초의 문민정부인 김영삼 정권의 탄생으로 1963년 박정희 정권부터 노태우까지 30년을 이어오던 군부독재정권이 드디어 종식되었다. 1998년에는 수평적 정권교체가 이뤄져 김대중 정부가 탄생했으며 노무현, 문재인으로 이어지는 민주정부가 국정을 운영하기도 하였다.

주로 20대 청년시절 마르크스주의 학습을 통해 형성된 좌파 활동가나 지식인들의 신념체계는 30대, 40대, 50대 이후가 되어서도 그대로 이어졌다. 자본주의와 사회주의를 구분하는 잣대를 시장경제에서 찾는 것이 대표적 사례이다. 시장경제를 도입한 나라는 곧 자본주의 국가라는 주장인데, 이런 논리로 따지면 러시아는 물론이고 중국, 북한, 베트남 등 세계 모든 나라가 자본주의 국가라는 결론에 이른다. 오늘날 시장 경제를 도입하지 않은 나라는 없기 때문이다.

한국 좌파가 중국을 바라보는 관점을 살펴보면 현실과 얼마나 괴리되어 있는지를 알 수 있다. 미국과 함께 G2로 불리는 경제대국으로 성장한 중국이 시장경제를 도입하기까지는 엄청난 내부논쟁이 있었다. 논쟁을 주도한 것은 덩샤오핑이었다. '사회주의 시장경제'를 주창한 덩샤오핑의 주장이 중국공산당 내에서 논쟁만 불러일으킬 뿐 받아들여지지 않자, 덩샤오핑은 고령의 몸을 이끌고 1992년 이른바 '남순강화(南巡讲话)'라고 불리는 상하이 선전 주하이 등 중국대륙 남부도시의 경제시찰을 통해 인민들을 설득했다. 남순강화를 통해 남부지역 도시들의 경제발전 상황을 접한 인민들은 우리

지역도 상하이 선전처럼 경제발전을 이루고 싶다며 덩샤오핑의 개혁개방 정책을 지지하게 된 것이다. 결국 1992년 말 제14차 중국공산당 전국대표대회를 통해 우리가 개혁개방이라고 알고 있는 중국의 '사회주의 시장경제'가 도입되었다. 이렇게 시장경제를 도입한 중국은 스스로를 '중국 특색 사회주의'라며 사회주의 국가임을 천명했다.

그럼에도 한국 좌파는 중국이 시장경제를 도입했고 도시와 농촌간 빈부격차가 심각한 것으로 보았을 때 사회주의로 볼 수 없다는 주장을 펴고 있다. 중국은 중국공산당이 운영하는 정치체제를 갖고 있고 개인의 토지 소유를 전면금지하며 민간기업에도 공산당 정치국원이 참여해 주요 결정권을 행사하는 등의 중국적 사회주의를 운영하고 있음에도 사회주의로 인정할 수 없다는 주장을 굽히지 않는다. 무엇보다 중국 정부와 중국 사람들 스스로가 중국 특색 사회주의를 운영하고 있다고 말하고 있음에도 불구하고 미국식 자본주의 체제를 그대로 받아들인 한국에 살고 있는 사람들이 150여 년 전 마르크스가 제시한 기준에 미치지 못했으니 중국은 사회주의가 아니라고 말하는 것은 넌센스가 아닐 수 없다.

2-2 19세기 마르크스의 눈으로 21세기 한국 민주당을 비판하다

21대 국회의 가장 미스테리한 정당을 꼽으라면 단연 정의당의 포지션일 것이다.

20대 국회까지 민주진보진영의 믿음직한 일원이었고 원내 유일의 진보정당이었던 정의당이 2020년 4월 총선 이후 민주당과 국민의힘(자유한국당) 사이에서 이상한 횡보를 하여 지지자들의 마음에 상처를 주었다. 더 이상 정의당을 진보정당으로 부를 수 없다는 의견과 함께 돌아가신 노회찬 의원을 그리워하는 목소리가 많아졌다. 정의당의 변심을 확인시켜준 언론은 SBS였다.

2021년 6월 SBS 기자들은 일대 혼선에 빠진다. SBS 데이터저널리즘팀 〈마부작침〉이 21대 국회 데이터를 기반으로 21대 국회 1년차 활동을 점검했는데, 기존의 관념으로는 설명할 수 없는 분석결과가 나왔기 때문이다. '19-21대 국회 이념분석'에서 분명 20대 국회까지 민주당의 왼쪽편에 위치했던 정의당이 21대 국회들어와 갑자기 민주당의 오른편으로 급격히 이동한 분석결과에 대한 해석이 불가능했다. 시청자들의 반응도 댓글로 확인할 수 있었다. "정의당은 그간 진보정당의 가치를 주장하던 정당인데 이 그래프만 떼어서 보면 참 이상하죠. 수정이 필요하다고 생각됩니다" SBS 담당기자는 자신의 SNS를 통해 후속 기사가 필요해 보인다고 했으나 후속기사는 없었다. 수정도 후속기사도 필요없을 정도로 정의당은 21대 국회의 마지막까지 자신들의 정치적 변심을 정확히 확인시켜 주었다.

SBS 데이터저널리즘팀 〈마부작침〉은 21대 국회의원들이 본회의 가결 법안에 던진 181만 2,115개의 찬반표를 전수 분석해 이념 성향을 분석했다. 19대와 20대 국회 8년의 데이터도 같은 방식으로 분석했다. 사용한 통계분석 방법론은 미국에서 주로 사용하고 있는 w-nominate방식이다. 워싱턴포스트, 퓨리서치센터(Pew Research Center)와 같이 권위있는 기관에서 분석을 하고 있으며 시사주간 '내셔널 저널'은 매년 미 연방 상 하원 의원들의 투표 성향을 이 같은 방식을 통해 분석해 공개하고 있다. 먼저 '21대 국회의원 표결 결과 분포도'를 살펴보면 아래와 같다.

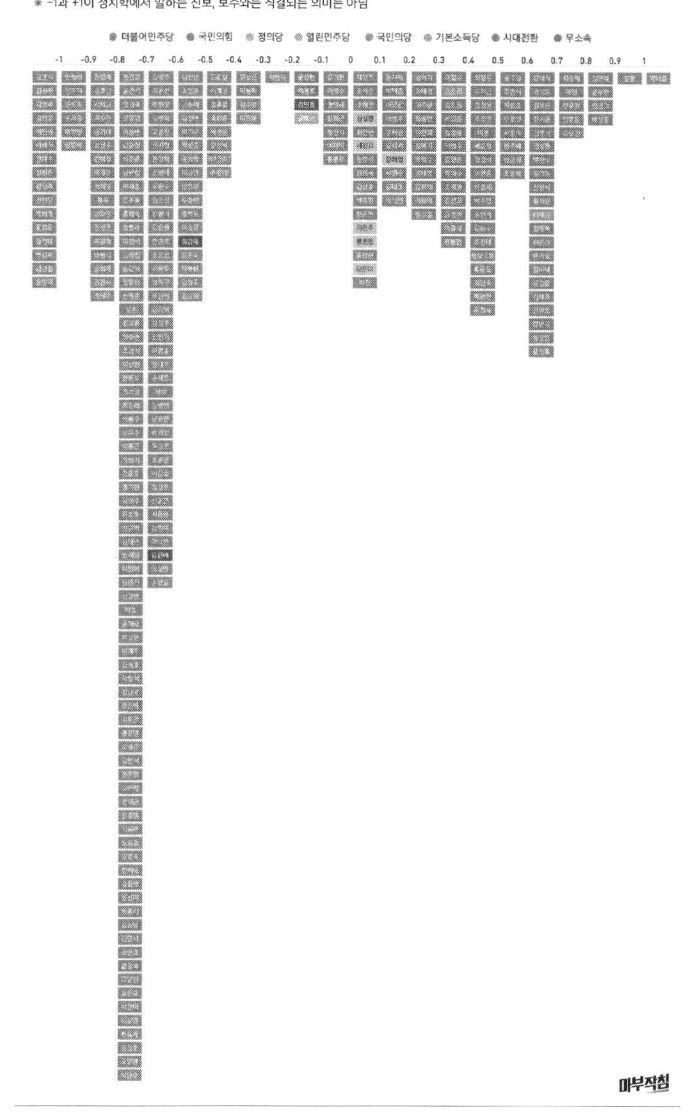

[그림 2-2] 21대 국회의원 표결 결과 분포도_sbs빅데이터팀 (2021.06)

-1을 곧바로 진보, +1을 보수라고 부르는 것은 무리가 있으나 정의당 6명의 국회의원이 민주당 오른쪽에 위치하는 것은 정확히 확인할 수 있다. 특히, 정의당이 국민의힘 좌측그룹에 속해 있다는 분석은 충격적이다. 분석 결과가 너무 충격적이다 보니 기사 댓글 중에는 이런 반론도 있었다. "개별법안 투표에 대한 값을 잡는거면 정의당은 계산값이 이상하게 나올텐데요. 민주당과 국민의힘만 두고 분석을 해야 맞는 거 아닐까요?" 신뢰도를 높이기 위해 SBS는 19대-21대 국회 9년의 데이터를 분석해 비교해 보았더니 [그림 2-3]과 같이 나왔다.

[그림 2-3]에서는 두 가지를 확인할 수 있다. 첫째는 19대와 20대 국회까지 민주당의 왼쪽편에 위치하던 정의당이 21대 국회 들어와 급격히 민주당의 우측으로 이동해 아예 국민의힘 그룹과 섞여 버렸다는 점이다. 둘째는 19대 국회에서 진보에서 중도보수까지 넓게 분포하던 민주당이 20대에는 중도진보 방향으로 모여 들더니 21대 국회에서는 확실하게 진보의 포지션으로 자리 잡았다는 점이다. 중앙대 김누리 교수 등 진보를 표방하는 지식인들이 주장했던 "한국도 유럽처럼 정의당이 진보정당으로 민주당이 중도보수정당으로 각각의 포지션만큼 의석을 가져가야 한다"던 주장은 설득력을 잃게 됐다. 주장의 기본 전제가 바뀌었기 때문이다. 젊은 시절 사노맹 사건으로 수감된 경험도 있고 노회찬 전 의원 후원회장을 맡을 정도로 진보정당에 대한 애정이 깊은 조국 전 장관도 비슷한 분석을 내놓았다.

[그림 2-3] 19-21대 국회 이념성향 분석_sbs빅데이터팀 (2021.06)

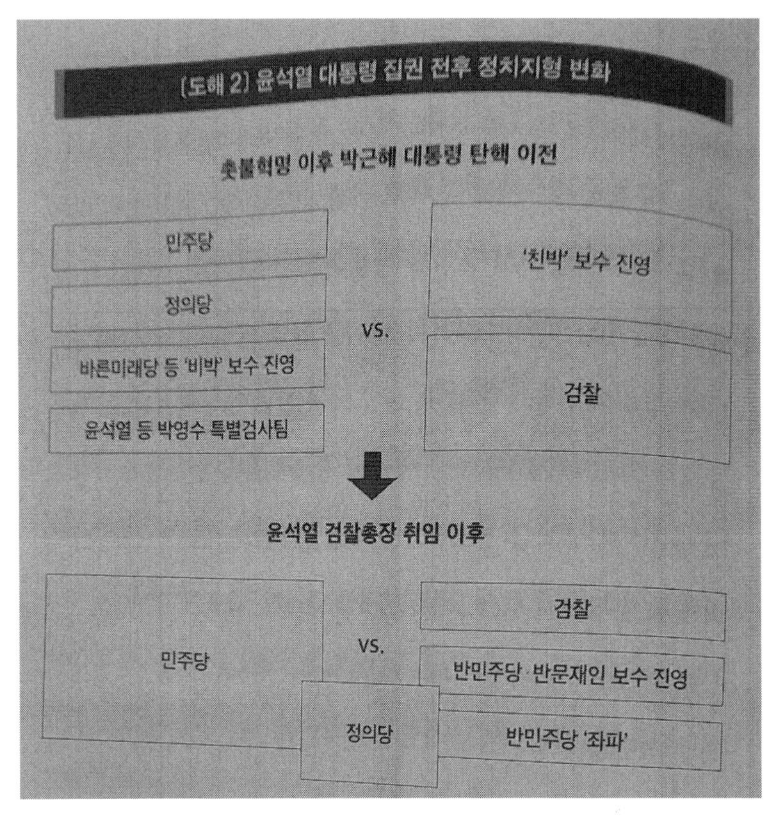

[그림 2-4] 윤석열 대통령 집권 전후 정치지형 변화_디케의눈물(다산북스)

조국 전 장관은 2023년 8월 펴낸 '디케의눈물(다산북스)'에서 '윤석열 대통령 집권 전후 정치지형 변화'를 설명하면서 정의당의 포지션에 대해 이렇게 설명한다. 2016년 촛불혁명 이후 박근혜 대통령 탄핵 이전까지 친박 보수진영 및 검찰에 맞서 민주당과 함께 같은 진영에 속해있던 정의당이 윤석열 검찰총장 취임 이후 민주당과 검찰의 중간지대로 포지션을 급격히 이동한다. 정의당에 무슨 일이 있었길래 이처럼 급격한 스펙트럼의 변동현상이 발생한 것일까? 이를 이해하기 위해서는 밖에서 바라보는 정의당이 아닌 내부에서 겪고 있는 정의당을 이해할 필요가 있다.

정의당 비례 1번으로 당선된 류호정 국회의원은 2023년 12월 JTBC 유튜브 〈장르만 여의도〉에 출연해 이렇게 말한 적이 있다. “지금 정의당 전국위원회 같은 경우는 정파별 안배가 다 되어 있거든요. 80% 그러니까 전국위를 통과시킬 만큼의 인원이 1정파, 2정파 인원으로 구성이 되어 있고요. 말하자면 저는 그 대형 정파들을 설득을 했어야 되는데 그러지 못했다고 생각을 하는 거고.”

2022년 9월 정의당 당대표에 출마한 조성주 후보는 출마기자회견에서 이런 말을 했다. “비례대표 경선이 본래의 취지와 다르게 정파의 사생결단식 동원 경쟁이 됐다”

2020년 9월 당대표 후보자 토론회에서는 후보자들 사이에 이런 말들이 오고 갔다. 박창진 후보는 “배진교 후보가 속한 정파는 당내 최대 정파라 당의 혁신을 추진할 힘도 기회도 있었다. 그럼에도 당의 혁신을 추진하지 못했다는 평가가 있다” 배진교 후보는 출마선언문 등을 통해 ‘정파구도 해체’를 주창했고, 김종철 후보는 “제가 속한 정파는 홈페이지 게시판만 가도 전국위가 있을 때 사안마다 의견을 밝혀왔다”

일반인들에게는 생소한 '정파'에 대한 이해가 없으면 정의당을 제대로 이해하는 것은 사실상 불가능하다. 정파는 캠퍼스 내에도 사복경찰이 상주하던 1980년대 학생운동에서 흔히 언더(under)라고 불리던 학생운동 비합법조직에서 유래했다. 선배와 후배의 질서가 명확하고 각 학년별 학습 커리큘럼을 갖춘 정연한 조직체계로 일상적으로는 학습과 조직모임을 하다가 특정시기에는 투쟁을 하는 형식이었다. 문제는 1998년 민주정부가 등장한 이후에도 생존한 정파조직이다. 학생운동이 쇠락하면서 주로 사회운동가들로 구성된 21세기 정파는 진보정당을 통해 자신들의 정치노선을 구현하려고 시도했고 정의당은 대략 3~4개의 정파조직이 사실상 운영하는 형태였다.

정의당의 정파는 선출되지 않은 권력이라는 특징을 갖는다. 당 간부의 대부분이 정파조직에 속해 있기 때문에 정의당의 중요정보가 정파조직 내에서 논의되고 정파에서 결정한 사항을 공식 직함을 갖고 있는 간부들이 작동하는데 정작 당원들은 누가 어느 정파이고 정파의 체계는 어떠한지 알 수가 없다. 진보정당이 자랑하던 당원민주주의는 사실상 구호일 뿐이고 실상은 선출되지 않은 정파와 선출된 대표단이 이중으로 권력을 행사하는 이중권력체계였다. 다만 노회찬 전 의원이 살아계실 때까지는 정파의 통제가 어느 정도 가능했다.

노회찬은 "진보정치가 제대로 되려면 운동권을 극복해야 한다. 운동권을 부정할 수는 없지만 그건 흘러간 옛날 얘기다. 신앙과 정치는 다르다. 신앙은 자기를 간직하면 되지만, 정치는 끊임없이 국민을 설득해서 동의를 구하는 것이다"라며 '대한민국 진보, 어디로 가는가'(2014.비아북)에서 심지어 '진보의 세속화'를 말하기도 했다. 세속화라는 파격적인 용어에 대해 오마이뉴스 구영식 기자는 "세속화란 용어는 썩 긍정적 어감이 아니다. 그럼에도 노 전 의원이 굳이 이 용어를 쓴 건, 운동권적 태도를 완전히 벗어나서 현실에 밀착한 정치를 하자는 뜻이었다. 그 점에서 노회찬은 의회주의자이고, 정당주의자이고, 한편으론 사회민주주의자였다"고 말했다.

2018년 7월, 노회찬이 사망하기 전까지 노회찬이 말하던 '진보의 세속화'는 어느 정도 정의당에서 받아들여졌던 것 같다. 당대표나 대선후보가 되기 위해서는 정파의 협조가 필수적임에도 노회찬은 정파를 활용하지 않았다. 정당주의자 노회찬에게 당대표나 대선후보의 명성보다는 진보정당이 국민들 사이에 제대로 뿌리내리는 진보정치가 더 중요했기 때문이다. 정파조직도 국민적 명성이 높은 노회찬을 함부로 넘어서려 하지는 않았다. 그래서 정파조직과 대중적 정치인 노회찬의 균형이 이루어질 수 있었다. 문제는 노회찬 장례가 마무리된 이후부터 발생하기 시작했다.

2018년 7월 노회찬 의원 사망 이후, '노회찬을 지켜주지 못해 미안하다'는 1만여명의 시민들이 정의당에 입당했다. 그런데 노회찬이 있던 정의당과 노회찬이 없는 정의당은 전혀 다른 정당이 되었다. '진보의 세속화'는커녕 정파의 영향력이 더 커졌기 때문이다. 세력균형 역할을 해오던 노회찬이 사라지자 정파는 예전처럼 눈치 볼 일이 없었다. 심상정은 정의당에서 두 번의 당대표와 두 번의 대선후보에 선출될 정도로 정파를 적절히 활용할 줄 알았다.

2019년 조국사태 당시 정의당이 보여준 이상한 행보, 박원순 서울시장 사망 당시 류호정, 장혜영 의원 등의 조문 거부 파동, 김건희 쥴리 의혹에 대한 선택적 침묵과 이재명 대선후보에게 '설계한 자가 범인'이라며 공격한 심상정 후보, 특히 검찰발표에는 무한 신뢰를 보내면서 민주당에 각을 세우는 것이 마치 정의인 듯 보여지는 행위는 모두 노회찬이 없는 정의당에서 발생한 사건들이다. 참고로, 조국 전 장관은 2024년 인터뷰에서 "문재인 정부 초대 법무부장관으로 노회찬 의원을 모시고 싶다는 대통령의 뜻을 전하기 위해 노회찬 후원회장이기도 했던 자신이 노회찬을 직접 만나 설득했다"고 밝혔다. 그러나, 검찰개혁주의자 노회찬의 법무부장관 기용은 정의당 내 반발로 무산됐다. 그리고 얼마 후 노회찬을 죽음에 이르게 했던 검찰의 이른바 드루킹사건 수사가 언론에 공개되기 시작했다.

2-3 아파트 _ 2022 대선 패배 키워드

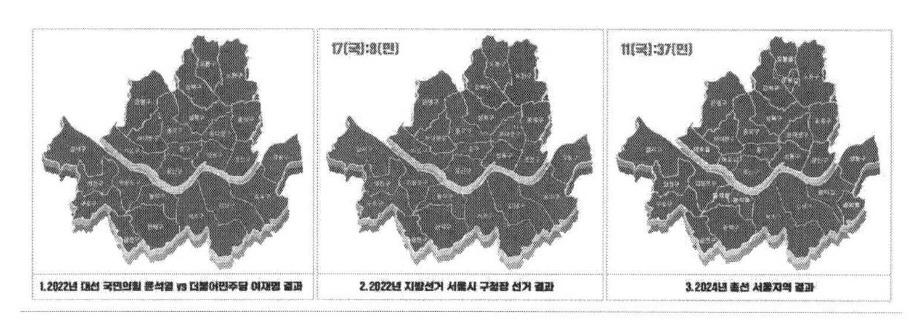

[그림 2-5] 2022년-2024년 서울시 대선 지방선거 총선 결과

2022년부터 2024년까지 서울지역의 대통령, 구청장, 국회의원 선거 결과이다.

왼쪽 이미지는 2022년 대선에서 국민의힘 윤석열 후보와 더불어민주당 이재명 후보의 투표 결과이고, 가운데 이미지는 2022년 서울시 25개 지자체의 구청장 선거 결과이다. 맨 오른쪽 이미지는 2024년 국회의원 선거결과이다. (참고로, 2022년 서울시장 선거는 오세훈 후보가 25개 지자체 모두에서 전승했다)

서울지역의 대선과 구청장 선거 총선 결과 지도를 겹쳐보면 한강을 접하고 있는 강북과 강남의 이른바 한강벨트가 붉은색 즉 국민의힘 집권으로 돌아섰음을 알 수 있다. 2022년 구청장 선거의 경우 한강벨트에서 유일하게 성동구만 민주당이 승리해 정원오 구청장에 대한 관심이 폭증했던 선거였다. 2024년 총선은 한강벨트 중 강동구, 광진구 등 많은 지역에서 민주당 후보가 당선되었지만,

동별 분석을 보면 이야기가 달라진다. 민주당 갑, 을 후보 2명이 모두 당선된 광진구의 경우, 한강을 접한 아파트 밀집동인 광장동, 자양3동, 구의3동에서 국민의힘 후보가 앞섰다.

한강변에 나가보면 알겠지만, 한강벨트는 한강을 따라 길게 늘어선 아파트 밀집지역이라는 공통점이 있다. 그래서, 2022년 대선과 지방선거 이후 아파트와 투표성향에 대한 분석기사가 유난히 많이 쏟아져 나왔다. 실제 최근 서울지역의 선거결과는 아파트에 거주하는 유권자들의 다수가 국민의힘 지지로 마음을 굳혔음을 알 수 있다. 왜 아파트는 민주당을 버렸을까?

이 점에서는 보수와 진보의 분석이 놀랍게 일치한다. '문재인 정부의 집값 안정과 부동산 정책 실패' 문재인 정부 정책실패 1순위로 부동산 정책을 꼽는 것과 궤를 같이한다. 아파트 보급률이 갈수록 늘어나는 현실에서 이 상태를 방치하면 자칫 '아파트=국민의힘' 구도가 고착될 수 있다. 민주당에겐 매우 심각한 문제가 아닐 수 없다.

필자가 살고 있는 아파트는 2023년 8월 입주자 투표를 했는데 투표결과를 보고 깜짝 놀란 적이 있다. 97.8%의 압도적 찬성으로 아파트 경비미화 노동자들의 휴게공간 조성 안건이 가결되었다는 내용이었다. 1,300여 세대의 아파트에서 98% 찬성이라니, 게다가 투표율도 단 이틀 모바일 투표에 76%로 상당히 높았다. 시간을 조금만 거슬러 올라가 아파트 경비노동자 관련 뉴스기사를 검색해 보면 이 투표 결과가 얼마나 놀라운 것인지 금방 알 수 있다. 입주자의 막말과 갑질로 인해 중년의 경비노동자들이 스스로 목숨을 끊었다는 뉴스에 많은 사람들이 가슴 아파했다.

[근로자경비미화 휴게시설 설치장소에 대한 입주민 투표]

투표 결과보고서

1. 개표관리

투표기간	2023년 08월 07일 ~ 2023년 08월 08일 18시
진행방법	모바일투표

2. 투표참여결과

총 투표 대상수	투표 참여자수	투표율
1243세대	945세대	76%

3. 개표결과

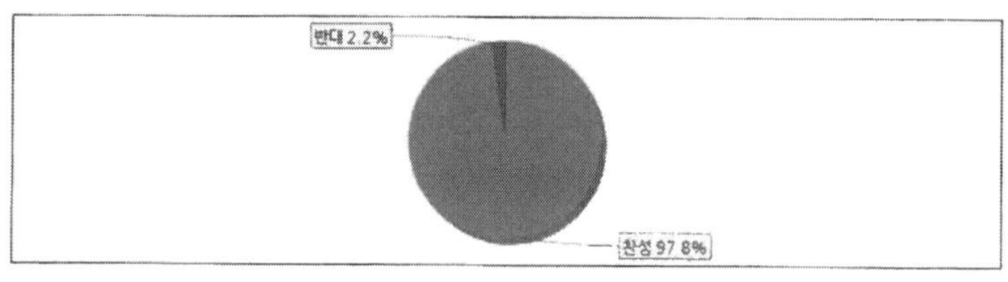

항목번호	제목	표수	득표율
1 번	찬성	924 표	98%
2 번	반대	21 표	2%

[그림 2-6] 근로자경비미화 휴게시설 설치장소에 대한 입주민 투표결과

사람은 누구나 환경의 영향을 받으며 변한다. 아파트 입주자들도 마찬가지다. 연이은 경비노동자 사망 뉴스는 입주자들의 마음을 움직였을 것이다. 다른 계약 관련 투표에는 소극적이던 입주자들이

경비노동자 관련 투표에는 적극적으로 나선 이유일 것이다. 세상은 변한다. 변해도 너무 빨리 변한다. 아파트도 마찬가지로 빠르게 변화하고 있었음에도 이른바 진보진영의 일부 지식인들은 이 변화를 감지하지 못했다. 그들의 생각은 대체로 이러하다.

"한국인의 아파트 사랑은 유별나다. 미국이나 유럽에서 아파트는 주로 흑인이나 빈민들의 거주지로 사용되고 있는데 반해 한국인들은 아파트를 재테크의 수단으로 생각해 세계에서 유례를 찾기 힘들 정도의 아파트 공화국이 되어 버렸다"

"콘크리트 덩어리 아파트는 환경에 치명적인 영향을 주고 사람과 사람 간 소통에도 크나 큰 장애물이다. 층간소음으로 인한 살인사건, 임대아파트 아이들의 통학로 봉쇄 등 아파트 단지는 그들만의 성으로 군림하며 주민들간의 소통을 가로 막고 있다. 무엇보다 집값 상승의 원인으로 작용하며 청년과 신혼부부 등 서민들의 내집 마련 기회를 멀어지게 만드는 요인이다"

그동안 한국의 아파트는 집값을 부추기고 환경에 유해하며 주민 소통을 가로막는 장애물로 작용하였던 것이 사실이다. 그런데, 간과했던 두 가지 중요한 문제가 있었다. 첫째, 기술의 발전에 따른 아파트와 입주자들의 변화를 감지하지 못했다. 둘째, '집값 상승 욕망에 사로잡힌 콘크리트 덩어리'로 치부되는 아파트에 살고 있는 사람들의 심리를 파악하지 못했다.

문재인 정부와 박원순 서울시는 나름 진보적인 정책 의견을 반영해 부동산 주거정책을 추진했다. 주로 아파트는 집값 안정을 위한 부동산 정책으로 아파트가 아닌 주택단지는 도시재생사업과 같은 주거정책으로 접근했다. 문제는 여기에서 발생했다. 정책의 철학적 근저에 아파트에 대한 부정적 인식이 자리하다 보니 아파트는 투기수요 억제를 위한 세금정책으로 비아파트 지역은 도시재생사업과 같은 지원정책으로 표출되었다. 얼핏 불공평한 정책 설계 같지만, 이러한 투트랙 정책이 진보의 가치에 부합한다고 믿었다.

문재인 정부와 박원순 서울시의 정책은 아파트 입주자들의 심리를 불편하게 하였다. 정부와 지자체의 지원은 비아파트 주택단지에 집중하면서 정작 아파트에 대한 정책은 세금정책만 돋보였기 때문이다. 언론과 정치권에서 보여지는 현상은 보수 : 진보의 구도였지만 그동안 줄곧 민주당을 지지해 왔던 아파트 입주자들의 심기도 편할리 없었다. 그렇다고 아파트 입주를 꿈꾸는 서민들이 민주당의 주거정책을 환영하는 것도 아니었다. 민주당 정책의 근저에 아파트에 대한 부정적 인식이 자리하고 있음을 감각적으로 느끼고 있기 때문이다. 이미 국민의 절반 이상 다수가 아파트에 거주하고 있는 현실에서 진보는 언제까지 서구의 아파트 타령하며 콘크리트 덩어리 아파트 공화국이라고 비판만 할 수 있을까?

유난히 한국인들이 아파트를 사랑하는 데에는 그만한 이유가 있다. 온돌과 용적률, 녹지공간으로 대표되는 기술의 진보를 눈여겨봐야 한다. 한국의 진보진영 일각에서 풍미했던 아파트에 대한 부정적 인식에도 불구하고 아파트는 이미 국민의 다수가 거주하는 보편적 주거형태로 자리잡았다. 40-50대 이상 세대에게 고향하면 떠오르는 이미지가 좁은 골목길, 전봇대, 연탄 등과 같은 것이라면 20대 이하 세대에게 고향은 곧 아파트이다. 아파트 놀이터에서 놀던 추억, 같은 단지 친구네 집에 놀러 가던 기억 등 젊은 세대에게 아파트는 곧 고향과 같다.

이렇듯 아파트가 한국의 보편적 주거형태로 자리잡은 데에는 최근 40여 년 간 놀라운 속도로 발전한 기술의 진보를 빼놓을 수 없다. 우선, 한국 아파트와 외국 아파트의 가장 큰 차이점은 온돌이라고 하는 한국식 난방시스템이다. 만약 온돌이 아파트에 깔리지 않았다면 아파트에 대한 선풍적 인기는 없었을 것이다. 온돌은 한국적 아파트 모델을 창조했고 앞서 언급했던 서구식 아파트 모델과 근본적 차이를 만들어 냈다. 아파트하면 의례 등장하는 '성냥갑'이라는 오명은 옆으로 길게 늘어선 판상형 아파트 단지에서 기인한다. 유럽의 아름다운 도시와 비교해 성냥갑 모양의 판상형 아파트가 많은 비판을 받아왔는데 여기에는 나름의 장점이 있었다는 사실이 간과되었다.

사계절이 뚜렷한 우리나라는 예전부터 집을 고르는 첫 번째 기준이 남향이었다. 남향 집이어야 추운 겨울에도 거실안까지 햇빛이 들어와 난방비를 줄이고 따뜻하게 생활할 수 있기 때문이다. 판상형 아파트 단지는 아파트를 일제히 남향으로 배치할 수 있다. 미관상으로는 성냥갑처럼 보일 수 있지만, 남향으로 배치할 수 있기 때문에 일조량과 채광이 좋고 통풍이 잘 되는 장점이 있다. 그나마 요즘은 기술이 더욱 발전해 판상형 아파트 대신 다양한 형태의 아파트로 진화하였다.

아파트 건축에서 기술의 진보를 떠올릴 때 중요한 키워드가 바로 건폐율과 용적률이다. 그동안 한국정치에서 보수는 주로 용적률을 높이기 위해 진보는 적정선 아래로 제한하기 위해 정책적으로 대결하였다. 건폐율은 대지(땅)면적에 대한 건축면적의 비율을 뜻하고, 용적률은 대지(땅)면적에 대한 건물 연(바닥)면적의 비율을 뜻하는 단어이다. 한국인들의 유별난 아파트 사랑에는 건폐율과 용적률에 숨어 있는 생활의 질적 만족도 때문임을 진보는 간과했다.

예를 들어, 100평의 땅에 건폐율 20%의 아파트라고 하면 내가 살고 있는 아파트 단지에 20평만이 아파트 건물이고 80평은 놀이터와 휴게공간 및 녹지공간이 된다는 뜻이다. 건폐율을 20%로 하면서 수십, 수백 세대가 살 수 있는 비결은 바로 5층 이상의 높은 아파트를 건축할 수 있는 용적률에 있다. 반면 단독주택 주거지역의 경우에는 건폐율이 월등히 높기 때문에 녹지공간은 커녕 아이들이 뛰어놀 공간도 없는 경우가 많다.

특히 최근에 건축된 아파트는 주차장이 지하에 있기 때문에 지상공간이 안전하게 아이들에게 열려있다. 택배차량과 배달 오토바이가 오가긴 하지만 적어도 아파트 놀이터는 아이들이 안심하고 놀 수 있는 공간이다. 농구장과 롤러스케이트장에선 청소년들이 운동하고 녹지공간에서는 산책하는 반려견들을 볼 수 있다. 게다가 아파트 도서관과 헬스장, 커뮤니티 공간 등 아파트는 잠만 자는 곳이 아니라 입주민들의 생활을 책임지는 공간으로 진화하였다.

1970-80년대 유년기와 청소년기를 보냈던 사람들은 동네 주택가 골목에서 친구들과 딱지치기하고 다방구하며 놀았던 추억을 떠올리지만 지금 주택가 골목에는 자동차 한대 빠져나가기 힘들 정도로 차량이 가득하다. 당연히 주택가에서 아이를 키우는 부모들은 한 푼이라도 더 모아서 우리 애들이 안심하고 놀 수 있는 아파트로 이사하길 희망한다. 이러한 희망을 재테크에 눈이 멀어 영끌하는 사람으로 지칭하는 것은 부당하다.

2-4 검찰-언론-진보 3각 매커니즘

박원순과 노회찬이 스스로 목숨을 끊었다.

이전 시대에 비해 보수정당 정치인들의 행태에 비해 경중을 따져야 할 사안이었다고 말하는 사람들도 있었으나 박원순과 노회찬은 본인 스스로 살아온 삶에 비추어 양심의 판단에 따라 결심을 한 것으로 보인다.

민주당의 광역단체장이었던 충남도지사 안희정과 부산시장 오거돈 그리고 경남도지사 김경수가 구속되는 사태가 발생했다. 안희정과 김경수는 대선후보급이었다는 점에서 충격이 클 수밖에 없었으나 법은 집행되었고 이들이 정치를 재개할 수 있을지는 누구도 장담할 수 없다. 이재명은 역대 최악의 비호감 대선이라는 악평 속에 치러진 2022년 대선에서 끝내 패배했다. 조국은 아내와 동생이 구속되고 딸의 의사면허증과 의과대학 입학이 취소되는 등 그야말로 멸문지화의 화를 입었다.

2018년부터 현재까지 정치권에서 발생한 위와 같은 사건들의 성격을 규정하는 용어로 '도덕성 검증의 시대'라 명명해 본다. '도덕성 검증의 시대' 이전의 정치권에서는 공천헌금 뉴스가 끊이질 않았다. 각급의 선거에서 후보가 되고자 하는 자가 공천권을 갖고 있는 정치인에게 거액의 헌금을 내고 공천장을 받는다는 스토리였다. 신기한 것은 언젠가부터 공천헌금 뉴스가 줄어들더니 2022년

6.1 지방선거를 기점으로 관련 뉴스를 찾아보기 어려워졌다. 공천 헌금 대신 심심치 않게 등장하는 뉴스가 인물난 소식이다. 유능한 장관 후보자들이 고사한다는 소식이 들리고 각 정당에서도 마땅한 후보자가 없어서 속앓이를 한다는 후문이다.

과거에 비해 정치인을 바라보는 국민의 시선에 중요한 변화가 생겼다.

나보다 많이 배우고 똑똑하고 정보가 많아서 현명하고 지혜로워 우리나라를, 우리 지역을 의탁하고 싶다던 생각은 거의 사라졌다. 여기에는 1990년대 이후 급속히 변화한 고학력과 정보화 시대의 영향이 크게 작용한 것 같다. 대학 교육이 일반화하고 정보통신 기술의 급속한 발전으로 원하는 정보를 언제 어디서나 얻을 수 있는 현재의 국민들은 정치인이 자신보다 더 많이 배우고 똑똑하고 정보가 많을 것이라고 생각하지 않게 되었다.

한편, 마이클 샌델은 그의 저서 '공정하다는 착각'(2020.와이즈베리) 등에서 능력주의에 대한 근본적 질문을 던진다. 고학력 리더들이 더 좋은 정책을 개발하고 정치담론을 생산할 것이라는 허상에 대해 비판하면서 능력있는(고학력) 힐러리 진영이 능력없는(저학력) 트럼프 진영에 패배했음을 상기시킨다. 마이클 샌델의 저서가 유독 한국에서 압도적인 판매를 기록했다는 것은 우리 국민들이 능력주의에 대해 근본적 의문을 갖고 있음을 말해준다.

정치인에 대한 능력주의적 상(像)이 서서히 저물면서 상대적으로 부상한 것이 도덕성이다. 물론 과거에도 정치인에 대한 도덕성 요구가 없었던 것은 아니나 최근 만큼 그 강도가 세지는 않았다. '그럼 윤석열 후보는 도덕성이 높아서 선택받았는가?'라는 반문이 제기될 수 있겠지만, 국민들은 보수정당 계열과 민주정당 계열의 정치인에게 기대하는 바가 근본적으로 다른 것 같다. 높은 도덕성 요구는 주로 민주당 계열 정치인에게 해당한다. 그런데, 민주화 담론을 계승한 문재인 3기 민주정부 시기 집중적으로 발생한 도덕성 검증 사태와 2021년 재보궐선거, 2022년 대선, 지방선거의 패배는 기존 민주화 담론의 변화가 필요함을 역설적으로 일깨워 준다. 시민들은 특히 젊은층은 더 이상 세상을 민주 : 반민주 구도로 바라보지 않는다는 사실을 알게 되었기 때문이다.

미국의 심리학자 매슬로우(Abraham Harold Maslow)는 인간의 욕구발달 5단계를 제시하며 인간은 의식주와 같은 낮은 단계의 생리적 욕구부터 자아 실현과 같은 높은 단계의 욕구로 발달한다고 주장했다. 매슬로우의 욕구발달 5단계에 한국전쟁 이후 한국인의 사회정치적 의식변화를 비교해 보면 다음과 같다. 한국인은 1953년 한국전쟁 이후 '전쟁 종식, 기아탈출'과 같은 안전과 생리적 욕구에서 시작해 1980년대 '군부독재 타도'와 민주화라는 의식으로 발달했으며 김대중, 노무현에 이은 민주당 3기 문재인 정부에 이르러 '윤리적 가치실현'이라고 하는 높은 단계의 자아실현 욕구 단계에 다다른 것으로 보인다. 이를 그림으로 표현하면 [그림 2-7]과 같다.

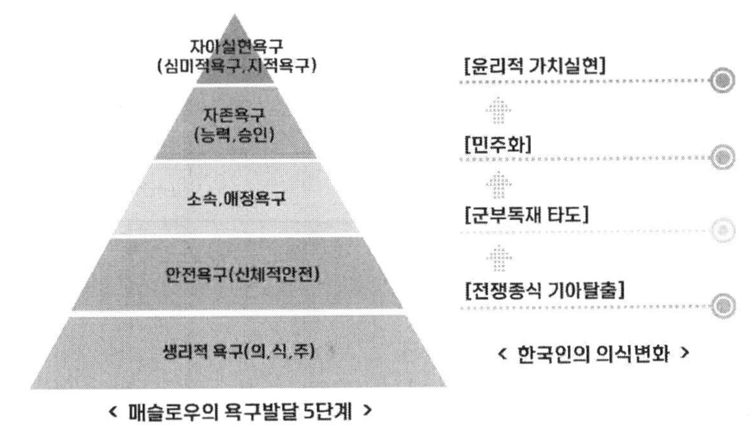

[그림 2-7] 매슬로우의 욕구발달 5단계와 한국인의 의식 변화

2016년 촛불항쟁은 한국인의 수준 높은 정치의식을 보여주는 대표적 사례이다. 연인원 1,600만 명이 참가한 국정농단 박근혜 퇴진 촛불항쟁은 세계적으로 유례를 찾기 어려운 전국적 평화적 대규모 정치투쟁이었다. 촛불항쟁의 성과로 집권에 성공한 문재인 정부에 대한 국민적 지지는 대통령 지지율로 나타나 2017년 6월 문재인 대통령 국정 지지율이 84%에 이를 정도였다. 그런데, 세계 최고 수준의 정치의식을 갖고 윤리적 가치를 실현하고자 하는 국민들의 요구에 위기를 느끼고 발 빠르게 대응한 곳은 검찰이었다. 대통령을 선출하는 것은 국민들의 직접투표로 이루어지지만, 검찰에겐 정권을 뒤흔들 수 있는 강력한 힘이 있었다. 한국 검찰은 1987년 대통령 직선제 이후 문재인 정부 이전까지 당선된 6명의 대통령 중

절반에 해당하는 3명을 구속시킨 경험이 있다. 전두환까지 포함하면 역대 대통령 4명을 구속시킨 조직이다.

정치검찰의 자신감은 문재인 정부 출범 이후 본격화되었고, 윤석열 검찰총장 취임 이후 전성기를 이루었다. 나중에 알려졌지만, 윤석열 검찰총장을 대통령으로 만들겠다는 이른바 '대호 프로젝트'가 2019년 2월 윤석열 검찰총장 임명 직후부터 가동되었다고 한다. 신동아(2019.09)의 보도 전후 여의도 정가를 중심으로 떠돌던 '대호 프로젝트'를 2023년 조국 전 법무부장관이 펴낸 '디케의 눈물'에서 재인용하기도 하였다. '대호 프로젝트'가 사실이라면 적어도 2019년 3월 이후 발생한 검찰발 주요 정치인 사건들은 다시 들여다볼 필요가 있다. 특히, 어떠한 매커니즘에 의해 작동되었는지 분석할 필요가 있다.

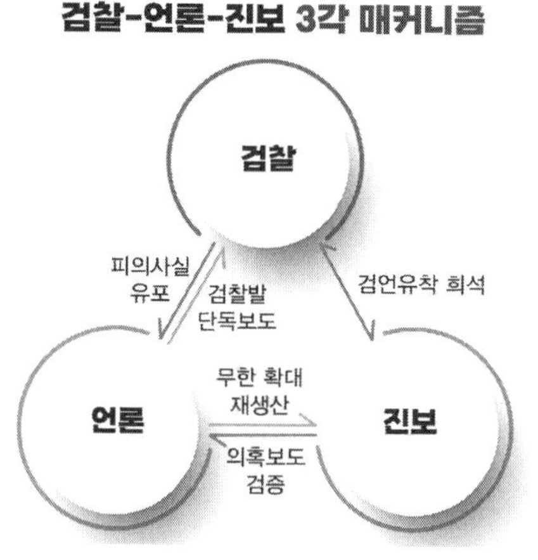

[그림 2-8] 검찰-언론-진보 3각 매커니즘

① 피의사실 유포

형법 제126조는 검찰·경찰·기타 범죄수사에 관한 직무를 행하는 자 또는 이를 감독하거나 보조하는 자가 수사과정에서 알게 된 피의사실을 기소 전에 공표한 경우 3년 이하의 징역 또는 5년 이하 자격정지 등의 처벌을 받을 수 있다고 명시되어 있다. 헌법상 '무죄추정의 원칙'을 실현하기 위한 규정으로 부당한 인권 피해를 방지하기 위해 엄한 처벌규정을 두었다. 피의사실 공표의 문제점은 누구보다 검찰 자신이 가장 잘 알고 있을 것이지만, 주요 정치인 사건에 있어서는 전혀 다르게 작동하였다. 현행법을 피하면서 피의사실을 유포하기 위해서는 반드시 협력자가 필요하다.

② 검찰발 단독보도

언론사	조선일보	TV조선	조선일보 계열	동아일보	채널A	동아일보 계열	한겨레	경향신문	합계
단독기사 건수	41건	25건	66건	45건	57건	102건	7건	11건	186건

[그림 2-9] 조국사태 주요 언론 단독기사 건수분석(2019.8.1~9.9)
_박주현(전북대 신문방송학과)

2019년 8월 1일부터 9월 9일까지 주요 언론사의 조국사태 관련 단독기사를 분석한 박주현 교수의 논문(조국사태 보도에 있어서 언론의 이념성과 가차저널리즘과의 관계 연구)에 의하면, 조국 법무부장관 임명 전 1달 동안 무려 186건의 단독기사가 쏟아졌다고 한다. 186건의 단독기사 중 채널A와 동아일보를 합한 동아일보 계열 언론사의 단독기사는 102건으로 분석대상 단독기사의 절반을 넘는다. 단독기사의 주요 내용은 조국 딸의 제1논문 저자, 장학금, 인턴십, 입시 자기소개서, 동양대 표창장, 아들 인턴십, 사모펀드, 웅동학원 등으로 검찰의 협조가 아니고는 얻기 어려운 내용들이다. 단독 기사를 내보낸 언론은 한결같이 취재원을 숨기는 대신 '검찰 고위관계자에 따르면' '검찰 내부 사정을 잘 아는 소식통에 의하면'과 같은 검찰발 익명보도로 형법 제126조(피의사실 공표죄)를 피하면서 여론몰이에 이용하였다.

③ 무한 확대 재생산

검찰발 단독기사는 해당 언론사는 물론이고 다른 언론사들에 의해 무한 확대 재생산되고 순식간에 포털사이트를 도배하게 된다. 단독 기사를 내보낸 언론을 인용하는 기사도 있지만 문구만 살짝 바꿔 올리는 기사들도 있기 때문에 기사 건수를 헤아리기 어려울 정도이다.

④ 진보_의혹보도 검증

검찰과 언론의 유착관계를 뜻하는 '검언유착'은 공식 명사로 받아들여질 만큼 우리 사회의 오래된 병폐 중 하나였다. 때문에 촛불집회에 한 번이라도 참가한 경험이 있거나 민주시민의식이 높은 사람들은 쏟아지는 검찰발 언론 기사의 진실이 무엇인가 의구심을 갖게 마련이다. 그래서, '검찰-언론'만의 유착관계로는 완성하기 어려운 세 번째 요소가 반드시 필요하다. 군부독재 정권에 함께 맞서 싸우던 시절부터 박근혜 국정농단 촛불항쟁까지 같은 진영이라고 믿었던 진보의 합류로 비로소 '검찰-언론-진보'의 3각 매커니즘이 완성된다.

진보적 인터넷 언론 〈프레시안〉 기자였던 강양구, 민변 출신의 권경애 변호사, 참여연대 공동집행위원장이었던 김경율, 진보언론 〈경향신문〉에 기고하던 서민 교수, 진보의 대표적 인플루언서였던 진중권 교수가 펴낸 일명 조국흑서로 알려진 '한 번도 경험해보지 못한 나라'가 대표적 사례이다. 노회찬과 함께 진보정당의 대표적 정치인이었던 심상정 의원은 윤석열 전 검찰총장에 대해서는 "윤석열 후보가 되면 왜 안된다고 생각하세요?"라면서 검찰발 대장동 기사로 곤경에 빠진 이재명 경기도지사에겐 "설계한 자 = 죄인"이라며 검찰측 주장에 일방적으로 손을 들어주었다. 한겨레신문은 대장동 개발업자 김만배씨와 돈거래를 한 석진환 신문총괄의 칼럼을 통해 '유능한 검찰 VS 무능한 민주당' '내로남불 민주당' 프레임을 확대재생산하였고, 경향신문은 조국사태 기간(2019.8.9.~12.13) 조선일보 다음으로 많은 기사를 쏟아내면서 결국 오보로 밝혀진 SBS의 '조국 아내 연구실 PC에 총장 직인파일 발견' 제목의 단독기사를 마치 사실인 것처럼 팩트체크 기사를 내는 등 검찰발 단독기사 확대에 앞장섰다.

⑤ 검언유착 희석

'검찰-언론-진보'의 3각 매커니즘 완성으로 한국 사회의 고질적 병폐였던 '검언유착'은 가볍게 희석되었다. 만약, 진보가 무방비로 노출되어 있는 조국 가족의 인권을 보호하고 검찰의 별건수사 문제점을 질타했다면, 검찰발 단독기사의 출처를 따져묻고 피의사실 공표죄 적용을 강하게 주장했다면 현실은 전혀 다른 방향으로 전개되었을 것이다. 그러나 진보는 전남대 박구용 교수의 말처럼 '비판적 지지'라는 완장을 두르고 마치 자신들은 완전무결한 존재인 것처럼 팔짱을 끼고 '도덕성' '2차가해' 운운하며 검언유착 희석에 일조했다.

<섹터3> [BOOK in BOOK] _ 담론 여행

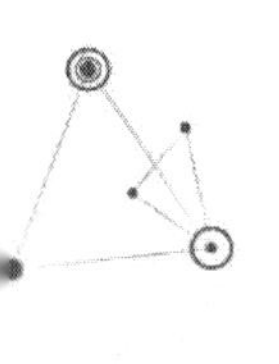

신영복 노무현 조국이 꿈꾸었던 진보

[고민정] 결국 시대를 이끌어가는 건 진보일 수밖에 없다

[천호선] 정의당의 '민주당 2중대론'은 '자존감 낮은 진보'의 표현입니다

[박세길] 시장경제위에 기초하고 자본의 존재를 인정하되 사람이 자본을 지배하는 새로운 경제모델이 나와야

[최병천] 진보라는 개념의 핵심은 미래(Future)에 있습니다

[박창진] 격리된 페미니즘 정의당 진보가 문제였습니다

[김태형] 인권은 인간의 권리이지 나의 권리가 아닙니다

3-1 신영복 노무현 조국이 꿈꾸었던 진보

'진보'라는 단어가 본격적으로 사용되기 시작한 것은 2000년대 이후의 일이다. 90년대까지는 보편적으로 사용되던 단어가 아니었다. 우리가 열사를 호칭할 때 민족민주열사라고는 불러도 진보열사라고 부르는 경우는 없다. 일반적으로 진보를 규정짓는 기준으로 마르크스주의에 대한 입장이 거론되었으나, 세계적으로 살펴보면 진보는 국가마다 문화마다 차이가 있음을 알 수 있다. 예를 들어, 홍콩에서 친중은 보수, 친미는 진보로 분류된다. 한국과 정반대이다. 일부 이슬람 문화권에서 히잡 착용 운동을 여성운동가들이 주도한 것도 주목할 일이다. 서구의 시각과는 정반대 현상이다.

그럼, '진보'란 무엇일까? 먼저, 한국인에게 가장 널리 알려진 신영복 전 성공회대 석좌교수, 노무현 전 대통령, 조국 조국혁신당 대표가 꿈꾸었던 진보에 대해 알아보자. 한국사회의 대표적 진보 지식인으로 손꼽히는 신영복 선생 본인은 정작 '진보'라는 단어를 말한 적이 거의 없다. 대신, '사람', '관계', '담론'에 대해 이야기하였다.

우리의 강의는 가슴의 공존과 관용을 넘어 변화와 탈주로 이어질 것입니다. 존재로부터 관계로 나아가는 탈근대 담론에 관하여 논의할 것입니다. 당연히 '관계'가 강의의 중심 개념이 될 것입니다. 이 '관계'를 우리가 진행하는 모든 담론의 중심에 두고 나와 세계, 아픔과 기쁨, 사실과 진실, 이상과 현실, 이론과 실천, 자기 개조와 연대, 그리고 변화와 창조에 대해 이야기할 것입니다.

그리고 이러한 변화와 창조는 중심부가 아닌 변방에서 이루어진다는 것에 대해 이야기할 것입니다. 중심부는 기존의 가치를 지키는 보루일 뿐 창조 공간이 못 됩니다. 인류 문명의 중심은 항상 변방으로 이동했습니다. 그러나 변방이 창조 공간이 되기 위해서는 결정적인 전제가 있습니다. 중심부에 대한 콤플렉스가 없어야 합니다. 중심부에 대한 콤플렉스가 청산되지 않는 한 변방은 결코 창조 공간이 되지 못합니다. 중심부보다 더 완고한 교조적 공간이 될 뿐입니다.

사람을 키우는 일이야말로 그 사회를 인간적인 사회로 만드는 일입니다.

사람은 다른 가치의 하위 개념이 아닙니다. 사람이 '끝'입니다. 절망과 역경을 '사람'을 키워 내는 것으로 극복하는 것, 이것이 석과불식(碩果不食)의 교훈입니다. 최고의 인문학이 아닐 수 없습니다.

-담론_신영복의 마지막 강의(2015. 돌베게)

노무현 대통령은 퇴임 이후 '진보란 무엇인가?'라는 주제에 대해 진지하게 탐구하였다. 노 대통령 서거 이후, 함께 머리를 맞대고 연구하던 연구자들이 대통령의 메모와 육성, 기록들을 모아 노무현이 생각하는 진보에 대해 이렇게 전하였다.

한쪽에서는 '너 좌파지?'하고 한쪽에선 '너 신자유주의지?' 이렇게 말한단 말이에요. 근데 이게 기준이 뭐냐 이겁니다. 뭐가 기준이에요? 그 기준에 관한 얘기, 결국 '진보가 뭐고 보수가 뭐냐'라는 얘기를 한번해 보자는 겁니다.

보수의 핵심 논리라는 게 뭐냐, 시장과 경쟁이거든요. 시장과 경쟁인데 진보주의에 어디 시장과 경쟁을 딱 반대하는 사람이, 딱 반대하는 논리가 있습니까? 특히 동유럽의 몰락 이후에 말이죠. 이건 정리된 거거든요. 시장을 반대하는 진보주의가 어디 있습디까? 아주 별난 사람들 말고는 말이죠. 지금 지구상에 현존하는 체제로선 존재하지 않는다는 말이지요.

진보 보수를 가르는 핵심적인 대립이 뭐냐, 복지와 분배입니다. 이런 것을 기준으로 해서 진보냐 보수냐, 그렇게 가르지 않으면 결국 진보가 아주 협소한 자기 땅 이외에는 중간에 있는 많은 영역, 소위 생산성과 능률이라고 하는 측면, 말하자면 시장, 경제, 효율이 부분에 대한 영토를 다 포기해 버리게 되거든요. 진보도 시장주의 맞고 진보도 효율주의가 맞습니다.

그럼 이제 진보의 가치는 뭐냐? 연대, 함께 살자. 이거는 엄밀한 의미에서 하느님의 교리하고도 맞는 거 아니냐? 이런 생각입니다. 그리고 논리적으로 따지면 공존의 지혜이고, 종교적 교리로 따진다면 그건 하늘과 신의 뜻이다. 그러니까 자유, 평등, 평화, 박애, 행복 이게 고스란히 진보의 가치 속에 있는 것이거든요.

- 진보의 미래(2019. 돌베개)

이명박 정권의 권력이 정점에 치닫던 2010년, 조국 조국혁신당 대표는 오마이뉴스 오연호 대표와의 대담집에서 진보에 대해 상세히 설명했다. 조국이 꿈꾸었던 진보의 개념은 이후 문재인 정부의 개헌안, 그리고 조국혁신당의 청사진으로 이어졌을 것이다.

진보는 여러 가지 방식으로 정의할 수 있을 것입니다. 아주 거칠게 정의하자면, 남북 문제에서는 군축, 평화공존, 평화통일을 지향하고, 경제에서는 자유시장주의, 시장만능주의가 아니라 자본주의의 모순을 직시하면서 시장에서 패자를 아우르는 정책을 추구하고, 양심·사상의 자유와 표현의 자유를 위시한 각종 정치적 기본권의 확대·강화를 지지하는 것이 진보입니다. 계급적으로 보면 진보는 강자나 부자의 편이 아니라 약자나 빈자의 편입니다. 특권을 가진 엘리트의 편이 아니라 보통 사람의 편입니다.

좌파-우파는 '빨갱이 콤플렉스'를 활용하려는 의도가 반영된 것입니다. 그래서 저는 '수구·보수' 대 '진보·개혁'이라는 구분법을 사

용하고자 합니다. 군사독재 또는 권위주의 체제 아래에서는 '독재' 대 '민주'의 구분법이 타당했지만, 선거를 통한 대표자 선출이라는 대의제 민주주의의 기본이 안착된 지금은 유효하지 않습니다.

'진보·개혁'이라는 용어를 택한 이유는, 현재의 야권이 '개혁적·진보적 자유주의' 세력과 '사회(민주)주의' 세력으로 구성되어 있기 때문입니다. 이 두 세력 모두 넓은 의미에서는 '진보'라고 부를 수 있습니다. 그런데 현재는 조직적으로 분립되어 있으니 '개혁적·진보적 자유주의' 세력을 '개혁', '사회(민주)주의' 세력을 '진보'라고 호칭한 후 병렬하여 사용하고자 합니다. 진보·개혁 진영이 모두 과거 반독재민주화운동의 후예라는 점을 생각해서 용어를 선택한다면, '개혁'은 '민주우파', '진보'는 '민주좌파'라고도 부를 수 있을 것입니다.

-진보집권플랜_오연호가 묻고 조국이 답하다(2010. 오마이북)

3-2 결국 시대를 이끌어가는 건 진보일 수밖에 없다 _고민정

- 일자 : 2023년 6월 15일
- 장소 : 여의도 벨라베네치아 카페

[그림 3-1] 고민정 국회의원

담론 여행의 첫 인터뷰 대상은 고민정 국회의원이었다.

결론을 예단하진 않았지만 시대의 담론을 찾아가는 여정의 첫 시작은 고민정이라고 생각했다.

우리 사회의 고령화가 급속히 진행되면서 고민정 의원은 40대의 나이임에도 21대 국회의원 중 가장 젊은 정치인에 속하게 되었다. 여의도 국회의사당 뒷편 한강이 내려 보이는 카페에서 인터뷰를 진행했다. '감내'라는 말을 했다. 조국 사태 이후 현재까지 겪고 있는 수많은 사태 정국에 답하면서 나온 말이다.

인터뷰를 마치고 자리를 정리하는데 옆테이블에 앉아있던 한 시민이 고 의원님 팬이라며 함께 사진을 찍고 싶다고 요청하였다. 스스럼없이 사진을 찍고 우리에게 나오지 말라며 카페를 나서 국회로 향하는 고민정 의원의 뒷모습을 한동안 지켜보았다.

진보란 현재를 변화시키는 거 같아요.

현재라는 건 기득권이 될 수도 있고 오랫동안 유지되어 왔던 고정관념일 수도 있고 이런 것들을 깨나가는 게 진보인 것 같아요. 그래서 옛날 진보가 주장했던 것과 지금 진보가 주장하는 게 다를 때도 있어서 혼란스러워들 하시지만 저는 당연하다고 생각해요. 예전 기득권의 형체와 지금의 기득권의 형체는 다르기 때문에 그것을 깨나가는 것이 진보라고 정의하고 한다면, 당연히 결과물은 다를 수밖에 없을 거예요.

진보라는 게 변화를 원하는 거는 당연히 주변부일 수밖에 없기 때문에 그래서 늘 힘들고 주류가 아니기 때문에 근데 이제 어느 순간 진보세력이라는 그룹이 우리 세상에서 주류가 되면서 오는 혼란인 것 같아요. 주류로서 주인의식을 갖고 세상을 바라볼 필요가 있지 않느냐 또 한편에서는 그렇지 않다 진보는 여전히 주변부이기 때문에 이 주변부에서의 변화의 시도를 계속해서 해야 한다. 이게 충돌했던 게 문재인 정부 시절인 것 같고요.

그래서 저는 그게 어느 쪽이 옳다고 생각하진 않아요. 주류로 진보를 자리매김하고자 하는 사람들과 여전히 주변부에서 변화를 꾀하려는 사람들이 건강한 토론과 협상들이 이루어졌더라면 전반적으로 우리나라가 더 좋아졌을 거라는 생각은 드는데 서로를 인정하지 않고 계속 싸움만 하다 보니 그냥 제 살 깎아먹기만 돼버린 형국 같은 생각 그래서 결국은 주류로서의 진보적인 지형을 잃어버렸기도 했고 외곽에서 변화시켜야 하는 진보적 동력을 잃어버리기도 했고 그런 거 같애요.

조국 장관님에 대한 실망으로 단순하게 얘기할 수는 없고 왜 보수 진영에서는 그것보다 더한 잘못을 저질러도 사람들이 지적하지 않는가에 대한 불합리함을 너무나 많이 느끼거든요. 우리는 어디까지 도덕군자가 돼야 하고 그래야 하나 왜 우리만 그래야 하나 이런 생각이 들어요. 근데 저는 감내해야 한다고 생각합니다. 왜냐하면, 결국 시대를 이끌어가는 건 진보일 수밖에 없어요.

다만 스스로가 주류가 됐을 때 그것을 인정하고 주류로서 어떻게 세상을 주인의식을 가지고 갈 것인지에 대한 설득을 끊임없이 해야 돼요. 그 전에는 주장만 하면 되거든요. 왜냐하면, 주류와 기득권을 향해서 잘못됐다고 지적하고 우리는 변화의 노력만 하면 되니까. 하지만 지금은 시대가 많이 변해서 이 진보 그룹이 주류가 될 수 있는 세상이 됐거든요. 그러면 주인 의식을 갖고 이 주류가 우리의 생각들을 인정하지 않는 국민을 어떻게 설득할 것인가? 이

저는 예전에 우리가 운동하듯이 주장하고 외친다고 해서 사람들이 설득되지 않거든요. 그래서 저는 자세 태도의 변화가 필요했었다고 생각해요.

우리 세대는 노동조합을 만들었던 선배 세대와 거기에 속할 수 없는 일자리 변화로 인해서 둥둥 떠 있는 이 MZ세대들 사이에 있는 사람들인 거죠. 그래서 우리 중간 세대가 저는 다리 역할을 정말 잘해야 된다고 생각을 해요.

예전엔 자유주의 국가와 사회주의 국가로 냉전 체제로 그냥 명확했죠. 한쪽은 이거 한쪽은 이거 명확했습니다. 그러나 지금은 적도 없고 동지도 없어요. 미국과 중국이 지금은 대치하고 있는 것으로 보이지만 그럴까요? 그렇지 않습니다. 경제적인 부분은 서로 쌍방이 손을 잡지 않으면 안 되는 시대이거든요. 그게 저는 지금 우리 시대를 아주 분명하게 보여주는 현상이라고 생각을 해요.

3-3 정의당의 '민주당 2중대론'은 '자존감 낮은 진보'의 표현 입니다 _천호선

• 일자 : 2023년 6월 23일
• 장소 : 노무현시민센터

[그림 3-2] 인터뷰를 하고 있는 천호선 멘토와 저자

코로나 팬데믹 종식 이후 서울 도심에 외국인이 부쩍 늘었다.

3호선 안국역에 내려 창덕궁 옆길을 따라 노무현시민센터로 향하는 길에도 곳곳에서 외국 관광객을 마주치게 된다. 연인으로 보이는 외국 관광객 커플이 한복을 곱게 차려입고 투어하는 모습을 흥미롭게 쳐다보며 노무현시민센터로 들어섰다.

3층 카페에서 시작한 인터뷰는 2층 회의실로 자리를 옮겨 이어갔다. 마침 송영길 전 민주당 대표가 언론 인터뷰에서 밝힌 2022년 대선 심상정-이재명 후보단일화 제안 무산을 둘러싼 공방에 대한 이야기도 들을 수 있었다. 조국 사태-2022년 대선-윤석열 정부로 이어지는 일련의 격동기에 대해 감정을 고르고 표현의 수위를 조절하며 인터뷰를 이어갔다.

한국의 진보란 '함께 살자'의 의미입니다. 이를 정치적으로 표현하면 '함께 살아야 모두가 행복하다'로 표현할 수 있습니다

정의당은 이전까지 이어져온 민주대연합 노선 대신에 '반양당 자기정체성 정치'를 하더니 나아가 '반민주 비국힘' 노선으로 이어졌습니다. '조국=기득권=민주당=불법'으로 인식하는 정의당의 '민주당 2중대론'은 '자존감 낮은 진보'의 표현입니다.

저는 2022년 대선을 앞두고 심상정 후보를 만나 '선연정(선연립정부) 제안'을 하였습니다. 민주당 이재명 후보측을 기다리지 말고 정의당과 심상정 후보가 먼저 민주당과 이재명 후보측에 연립정부를 제안하자는 것이었습니다. 그랬다면 정의당의 지지율은 20% 가까이 폭등했을 거라 생각했습니다만 받아들여지지 않았습니다. 민주대연합론의 반대는 국가폭력의 일상화입니다. 당원민주주의는 공론, 토론, 설득의 과정을 통해 실현되고, 사과와 사퇴라는 책임이 뒤따릅니다. 그런데, 정의당 지도부에서는 사과나 사퇴 대신 핑계가 이어졌습니다.

진보의 도덕성은 진보가 지향하는 가치에 위배되게 권력이나 부

를 쟁취할 때 발생한다고 생각합니다. 이는 법의 영역을 넘어서는 것입니다. 다만, 그렇다고 해서 도덕주의 정치(악마화 게임)에는 반대합니다

설득은 솔직, 진심, 용서의 과정을 통해 실현됩니다. 민주주의는 완성형이 아닙니다. 담론은 국가 비전 경쟁을 통해 이뤄져야 합니다. 이런 점에서 보았을 때, 박근혜 문재인 후보가 경쟁했던 2012년 대선이 가장 의미있었고, 지난 2022년 대선이 최악의 선거였습니다.

마르크스가 주장한 생산력의 발전으로 사회구조가 변화한다는 것을 요즘 절실히 깨닫습니다. 진보는 과학기술의 발전을 촉진하면서 동시에 사회변화를 만들어야 합니다. 이런 점에서 보았을 때 독일의 사회적 의제, 공론장을 거쳐 녹서(임시적인 자문용 공문서)를 만든 과정을 눈여겨 봐야 합니다.

정당은 정당의 기본기능에 충실해야 합니다. 가치와 견해가 같은 사람들이 모인 정당에서 검증되고 훈련된 사람들이 공직후보로 선출되고 당선되어야 합니다. 민주당은 엘리트주의 정당처럼 보입니다. 직접민주주의와 대의민주주의를 조화롭게 설계하고 인적자원을 배치하여 시민들의 정당으로 되어야 하겠습니다. 더불어민주당의 발전을 위해서는 시민들의 정당이 되어야 하고, 검증기능을 강화해야 합니다. 그리고 정치노선 세력 간 건전한 경쟁과 패기있는 행동이 있어야 하겠습니다.

3-4 시장경제 위에 기초하고 자본의 존재를 인정하되 사람이 자본을 지배하는 새로운 경제모델이 나와야 _박세길

• 일자 : 2023년 6월 29일
• 장소 : (구)경성방직 사무동건물 카페 리브레

[그림 3-3] 박세길 새로운사회를여는연구원 이사

한반도 남쪽에서 시작한 세찬 비가 북상해 서울 전역에 호우주의보가 내려졌다.

영등포역에 내려 우산을 쓰고 타임스퀘어 앞 (구)경성방직 사무동 건물의 카페로 향했다. 이 곳에서 평생을 노동운동과 민족민주운동에 헌신하고 시대의 담론을 연구하신 새로운사회를여는연구원 박세길 상임이사님을 만났다.

1990년대 대학을 다녔던 사람치고 박세길 이름은 몰라도 그의 저서 '다시쓰는 한국현대사'를 모르는 사람은 드물 것이다. 당시에는 유시민의 '거꾸로 읽는 세계사'와 함께 대학생들의 필독서로 여겨졌다. 그래서 더욱 97세대(1990년대 학번 1970년대생)에게 마음의 부채감을 느끼고 있다고 했다. 흔히 97세대를 패씽세대라 부른다. 민주화 세대의 막내로 열심히 실무 일을 하고 나이가 드니 이제는 MZ세대에게 사회의 관심이 넘어가 버렸기 때문이다.

박세길 멘토는 97세대에게 생각의 변화를 주문했다. '민주화 세대의 막내로 남을 것인가 아니면 신세대의 맏이로 자리매김 할 것인가?' 97세대가 도전하기 나름이라고 했다.

어떤 절대적 기준을 갖고 진보냐 보수냐 가리는 것은 대단히 위험할 수 있습니다.

저는 인본주의라고 하는 것이 새로운 시대 진보의 사상적 기초이자 하나의 좌표가 되어야 한다고 생각합니다. 민주당의 역사를 보면 김대중, 노무현, 문재인, 이재명으로 이어지는 최고 지도자가 한결같이 인본주의적 관점을 쭉 이어왔어요.

잘 살펴보면, 김대중 이후 호남 민심이 선택한 대선 후보는 노무현, 문재인, 이재명 다 영남 사람이었습니다. 호남 민심은 자신을 초월해서 보편적 이익을 추구하는 모습을 보여주었단 말이예요. 이

게 진짜 진보입니다.

이제 시장경제 위에 기초하고 자본의 존재를 인정하되 사람이 자본을 지배하는 새로운 경제모델이 나와야 된다고 생각합니다.

3-5 진보라는 개념의 핵심은 미래(Future)에 있습니다 _최병천

- 일자 : 2023년 7월 18일
- 장소 : 여의도 하우스 카페

[그림 3-4] 최병천 신성장경제연구소장

최병천 신성장경제연구소장님의 말은 간결하면서도 분명하다.

진보란 무엇인가라는 어려운 질문에 그는 세 가지의 개념으로 정확히 답하고 민주화 이후 진보의 담론에 대해 '친기업 진보'가 되어야 한다고 분명히 말한다.

민주당의 비전에 대해서는 '지식노동자의 정당'이 되어야 한다고 답한다. 하나 하나 논쟁꺼리가 아닐 수 없으나 최 소장님은 거리낌 없이 근거를 제시한다.

진보라는 개념은 고정불변하는 게 아니고 역사적이고 상대적인 개념이었습니다.

진보의 개념에는 첫째, 급진주의(left) 둘째, 미래(future) 셋째, 약자와의 연대(solidarity with the weak)라는 세 가지 의미가 있는데 이 중 미래(future)가 핵심개념입니다. 마르크스가 자본론을 집필하던 당시 유럽 내 노동자의 비중은 소수파였습니다. 그럼에도 마르크스는 미래를 내다보고 노동자의 정당 건설을 주장했던 것이지요.

한국에서 진보라는 단어는 민주노동당 이후 비로소 여론조사 항목에 처음 등장했을 정도로 신조어였어요. 왜냐하면 좌파(left)라는 단어는 좌익으로 그리고 곧 북한으로 인식되기 때문에 진보란 용어를 쓰게 된 겁니다.

현재는 네카라쿠배당토(네이버, 카카오, 라인, 쿠팡, 배달의민족, 당근, 토스)가 미래를 상징합니다.

21세기 한국의 진보는 과거 반기업 진보주의를 넘어 친기업 진보주의로 나아가야 하며, 민주당은 지식노동자 중심의 정당으로 되어야 합니다. 잘 생각해보면 1960년대와 70년대는 육사 출신 군부가 한국사회 엘리트였고, 1980년와 1990년대는 학생운동과 시민운동가들이 엘리트였습니다. 그럼, 지금의 엘리트들은 어디에 있을까요? 대기업부터 스타트업까지 기업에 모여 있습니다.

3-6 격리된 페미니즘 정의당 진보가 문제였습니다 _박창진

- 일자 : 2023년 8월 10일
- 장소 : 카페 봄봄

[그림 3-5] 인터뷰 중 환하게 웃는 박창진 멘토

인간에게 시간을 되돌릴 수 있는 능력이 있다면 얼마나 좋을까? 2020년 4월 총선을 앞둔 2019년 심상정 대표의 권유로 정의당에 입당한 박창진 전) 대한항공 사무장은 뜻밖의 상황을 마주하였다. 그가 정의당에 몸담았던 불과 몇 년 동안 반페미니스트로 반진보주의자로 온 몸에 상처를 입고 말았다. 대한항공 땅콩회항 사건의 주인공으로 인권의 대명사로 알려진 박창진에게 이보다 더 큰 상처는 없었을 것이다.

8월 초순의 열기가 뜨거운 어느 날, 영등포역 앞에 위치한 카페 봄봄에서 박창진 전) 정의당 부대표를 만났다. 카페 봄봄은 노동운동가들이 십시일반 정성을 모아 설립한 마을카페이다.

격리된 페미니즘이 문제입니다.

한국사회 페미니즘의 가장 큰 문제는 여성의 문제를 다른 여러 복합적 관계성에서 떨어진 격리된 의제로 만든 것에 있다라는 생각이 듭니다. 가령 한 사람의 여성에게는 복합적인 다양한 관계가 공존합니다. 배우자인 남성의 노동권 문제, 자녀인 아들의 군인권문제 등이 있을 수 있습니다. 그렇기에 페미니즘은 보편적 인권의 향상에 큰 보폭을 맞춰서 나가야 한다고 생각합니다. 아마도 이는 다수의 여성 또한 공감하는 상황 인식일 것입니다. 그렇기에 다수 관계와는 격리된 여성만의 문제 영역으로 한국 페미니즘이 흘러가는 경향성이 다수 여성으로부터로 큰 공감을 얻지 못하는 것이 아닌가 싶습니다. 보편적인 권리가 높아졌을 때 여성인권도 함께 높아질 수 있다는 점을 명심해야 할 것입니다.

정의당은 보이지 않는 손에 의해 정파적 이익이 관철되는 마치 JMS 사이비 종교와 같았습니다. 정의당 밖에서는 몰랐는데, 안에서 경험해보니 현실과의 격리에서 생기는 문제가 상당히 컸습니다. 정파적 이익이 보이지 않는 손처럼 관철되는 모습을 지켜보며 마치 JMS 사이비 종교와 같다는 생각이 들었습니다.

3-7 인권은 인간의 권리이지 나의 권리가 아닙니다 _김태형

- 일자 : 2023년 9월 11일
- 장소 : 관악구 모임공간 캄앤심플

[그림 3-6] 김태형 심리연구소 '함께' 소장

김어준의 〈뉴스공장〉 등에 출연하면서 "삐"소장님 이란 별칭으로 알려진 심리학자 김태형 (심리연구소 함께 소장)님을 관악구 낙성대역 앞의 한 모임공간에서 만났다. 막 출간할 책의 원고를 넘겼다면서 수수한 복장으로 나오신 김태형 소장님은 방송에서 보여지는 그대로 편한 이웃집 아저씨 같은 사람이었다.

진보의 정의는 민중의 자유 이익이 실현되는 것입니다. 2022년 대선에서 대장동 이슈 대응이 아니라 기본소득으로 밀어붙였으면 이재명 후보가 당선되었을 텐데 하는 아쉬움이 있습니다.

저는 한겨레, 경향은 진보 언론이라고 보지 않습니다. 시간이 지나면서 한겨레가 잘 안 팔리기 시작하고 이러면서부터 광고에 의존하기 시작하는데요. 그렇게 되면 당연히 재벌 눈치를 볼 수밖에 없고 뭐 시장에 자본에 포섭이 될 수밖에 없지 않습니까? 다음으로 한겨레가 어떻게 보면 진보성을 상실하면서 내부 인원들이 많이 물갈이가 됐어요. 훌륭한 기자들은 거의 다 그만뒀다고 봐야 되겠고 정치 의식이 높지 않은 생계형 기사들이 나오는 겁니다.

인권은 두 가지가 있습니다. UN에서도 얘기한 게 하나는 시민 정치적 인권이 있습니다. 정치· 사상·결사의 자유 등등의 보편적인 부분이죠. 또 하나 UN에서 얘기하는 것이 사회 경제적 인권입니다. 이건 생존권이죠.

과거에는 독재가 탄압하고 때리고 죽이고 그래서 제일 관심을 많이 가졌던 게 사상의 자유. 정치 활동의 자유 같은 시민 정치적 권리였어요. 근데 이건 어느 정도 해결이 되는 거예요. 그 다음으로 사회경제적 권리, 생존권 간단히 얘기하면 굶지 않고 누구나 안정된 생활을 할 수 있는 권리가 인권이란 말이죠. 이 인권 개념을 채택할 때가 된 거예요.

그런데, 이런 인권 대신에 다른 인권을 내세운 게 바로 개인주의적 인권이에요. 페미니스트라든가 성소수자라든가 그런 것들을 계속 내세우면서 사람들 사이에 싸움을 붙이거든요. 그러다 보니 자기의 인권 주장이 남의 인권을 침해하는 현상이 나타나기도 하죠. 그러면서 아주 난장판이 되는 거죠. 인권이 실현되기는 커녕 사회가 분열되고 혼란해지고 서로 갈등이 고조되는 그런 악영향을 낳았습니다. 개인주의자가 되면 인권은 개인의 이익을 실현하기 위한 도구가 돼요. 쉽게 말하면, 인권이 오염되는 거예요. 인권은 인간의 권리이지 나의 권리가 아니거든요.

대륙과 체제 문화 인종을 넘어 국제사회의 다수가 존중하는 인권의 개념은 UN의 〈시민적 및 정치적 권리에 관한 국제규약〉과 〈경제적·사회적 및 문화적 권리에 관한 국제규약〉입니다.

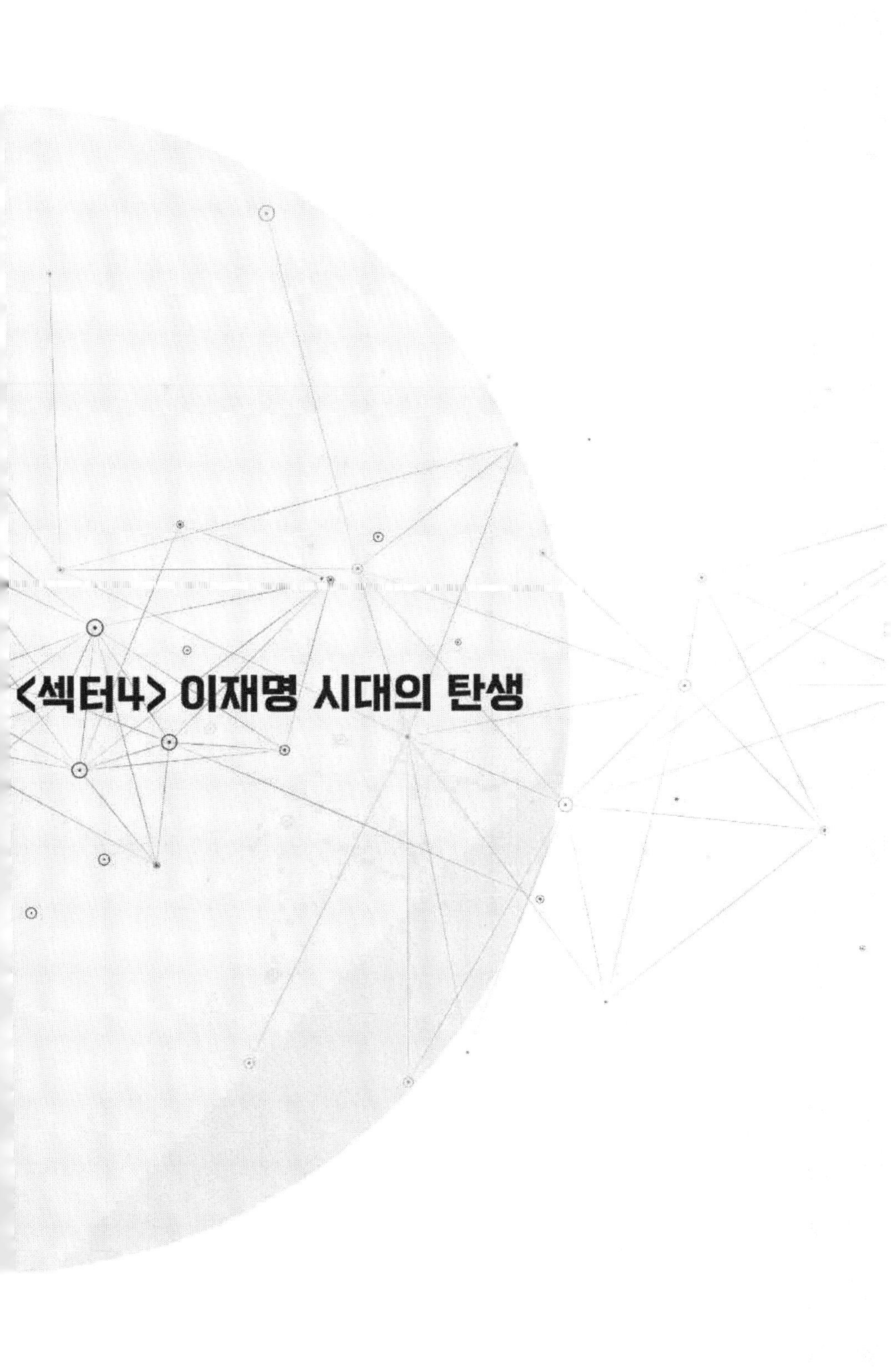

<섹터4> 이재명 시대의 탄생

한국정치 축의 이동

진보주의 축의 이동

국제질서 축의 이동

한국진보 40년사와 더불어민주당

이재명 시대 진보의 담론 _ 신성장 친기업 신노동 진보주

1987년 6월 항쟁으로 군부독재 정권을 몰아내고 쟁취한 민주화 시대 이후의 세계를 어떻게 그려나갈 것인가?

민주화 이후의 시대를 규정하는 용어로 가장 많이 사용되었던 단어가 '촛불혁명' 시대였다. 2016년 가을부터 2017년 봄까지 광화문과 전국에서 전개되었던 촛불혁명은 대한민국 정치사 최초로 현직 대통령을 탄핵 구속하였고, 문재인 정부가 들어서는 계기가 되었다. 그러나, 2022년 대선에서 탄핵되었던 보수 정당의 후보인 윤석열 후보가 대통령에 당선되면서 촛불혁명의 의미는 급격히 퇴색하였다.

이재명 시대는 그 이전 민주화 시대와는 확연하게 구분되는 세 가지의 특징을 갖고 있다. 첫째는 국내 정치의 축이 이동하였다. 둘째는 좌우 스펙트럼이 아닌 현재에서 미래로 나아가는 시간적 개념으로 진보의 축이 이동하였다. 셋째, 국제 질서의 축이 미국 중심 대서양과 태평양 해양 축에서 유라시아 대륙 중심으로 이동하였다.

4-1 한국정치 축의 이동

22대 총선 결과, 더불어민주당 161석, 더불어민주연합 14석을 얻어 민주당과 민주당 주도 비례정당이 175석을 획득했다. 역대 야당 최대의석이라고 한다. 조국혁신당은 12석을 얻었고 새로운미래와 진보당, 개혁신당까지 합하면 국민의힘을 제외한 야권은 192석을 얻었다. 반면, 국민의힘은 지역구 90석에 국민의미래 18석으로 총 108석을 얻어 윤석열 탄핵과 개헌저지선을 확보하는데 성공했고, 윤석열 대통령의 거부권도 유지할 수 있게 되었다.

국민들의 심리적 패배감은 여기에서 비롯한다. 역대 최고의 야권 압승에도 불구하고 윤석열 김건희 정권을 3년 더 인내해야 한다는 사실과 야권이 발의한 법안과 특검을 모조리 거부한 윤석열식 거부권도 무너뜨리지 못했다는 점이다. 3년을 더 참고 인내하기에는 국민들의 민생이 먹고 사는 게 너무 힘들다. 당장, 총선이 끝나자 마자 윤 정부는 역대 최고의 국가부채를 공개했다. 이러다 나라 살림이 거덜나는게 아니냐는 우려가 현실로 다가오고 있었다. 문재인 정부 시절 G7 경제대국 반열에 오르내리던 우리나라가 아르헨티나와 같은 경제 추락을 맞이할 수 있다는 경고가 빈말이 아니었다.

108석 국민의힘 저지선을 돌파하여 윤석열 대통령의 거부권을 무력화시키고 야당 발의 법안과 특검 및 국정조사를 실현시켜 종국에는 탄핵에 이를 수 있는 방법이 있다. 이번 총선에서 이루지 못한 200석 의원의 부족한 8석, 아니 최소 10석에서 15석 이상의 역할을 원외에서 담당해주면 가능하다. 2016년 가을부터 2017년 봄까지 이어진 박근혜 국정농단 탄핵 과정을 복기해 보면 답이 보인다. 당시, 민주당은 의석수 과반에도 못 미치는 야당이었지만 시민들의 강력한 촛불대항쟁에 힘입어 다른 야당은 물론 여당 내 일부 의원들까지 동의를 이끌어낸 경험이 있다.

22대 총선 야당 최대 192석의 함의는 국회 원내의 힘만으로는 부족하니 원외 민주촛불 시민들의 강력한 힘을 합하여 국힘 저지선을 돌파하라는 것이다. 지금도 매주 도심 촛불집회가 열리고 있지만, 박근혜 국정농단 촛불집회에 비해 턱없이 부족한 참여를 보이는 현실에서 윤건희 정권에 균열을 내고 국힘 108석 저지선을 붕괴시킬 수 있을 정도의 힘을 발휘할 수 있을까? 이 가능성을 타진하기 위해서는 22대 총선에서 3석의 의석을 차지한 진보당과 12석을 얻은 조국혁신당을 주목할 필요가 있다. 먼저, 21대 국회와는 전혀 다른 22대 국회의 정치지형을 전망해 보자.

22대 국회의 정치지형을 이해하기 위해서는 조국사태 이후 조국혁신당이 창당하기 전까지 한국의 진보진영을 살펴볼 필요가 있다. 조국사태 즉 조국 죽이기는 검찰과 언론만 담당했던 것이 아니었다. 한국의 진보진영 일부도 '조국 죽이기'에 가담했고 이후 '이재명 죽이기'로 이어져 윤석열 정권 탄생에 일조했음을 명확히 들여다 보아야 한다. 윤석열 정권 심판이라는 민심을 거스른 녹색정의당은 이번 총선에서 지역구 출마자 전원이 낙선하고 비례투표에서도 2.14%를 얻어 3% 최소득표에 실패해 원외정당으로 전락했다.

21대 국회까지는 국민의힘과 정의당이 '조국과 이재명 죽이기'에 공조하여 민주당을 포위하는 정치지형이었다면, 22대 국회는 더불어민주당이 민주당의 왼쪽 블록에 위치하는 조국혁신당 및 진보당, 기본소득당, 사회민주당 등과 연합하여 국민의힘을 역포위하는 전략 구사가 가능해진 것이다.

달라진 22대 국회 정치지형에서 주목해야 할 정당이 바로 진보당과 조국혁신당이다. 진보당은 울산 북구에서 윤종오 후보가 당선되었고 더불어민주연합에 참여한 정혜경, 전종덕 후보가 당선되어 원내 3석을 차지하였다. 4월 10일 같은 날 치뤄진 재보궐 선거에서도 부천시의회 이종문 후보, 제주특별자치도의회 양영수 후보 2명이 당선되는 성과를 이루었다. 2012년 통합진보당 사태와 이후 발생한 통합진보당 해산 과정을 떠올리면 역사적 사변이라 평가할 만하다. 특히, 정의당의 원외정당 몰락과 극명하게 대비되는 장면이다.

국민의힘 108석 저지선 돌파에서 진보당을 주목해야 하는 이유는 진보당이 갖고 있는 강력한 투쟁성 때문이다. 조국혁신당 창당 이전까지 윤석열 정권에 가장 선명하게 투쟁한 정당은 진보당이었다. 진보당은 속시원한 현수막으로 국민들의 마음을 움직였고 윤석열 퇴진 촛불집회 등에서 선명하게 존재감을 드러내 보였다.

특히, 20대와 30대 젊은 활동당원들이 다수 포함되어 있어서 투쟁의 역동성을 불러일으키고 있다. 주로 50대 이상으로 구성된 조국혁신당과도 비교되는 지점이다. 더불어민주연합에 함께 참여해 원내 의석을 얻은 기본소득당과 사회민주당도 민주당과 연대해 윤건희 정권 심판에 적극적으로 나설 것이다. 그러나, 각 정당의 특장점에 차이가 보인다. 진보당이 원외 대중투쟁의 동력을 일으키는데 최적화된 정당이라면 기본소득당과 사회민주당은 원내에서의 역할이 더 기대되는 정당이다.

조국혁신당은 '윤석열 정권의 남은 3년은 너무 길다'며 윤석열 정권 조기종식을 기치로 내걸고 3월 3일 일산 킨텍스에서 창당하였다. 조국 대표는 당대표 수락연설에서 "윤석열 정권을 깨뜨리는 쇄빙선이 될 것"이라며 "윤석열 정권 조기 종식을 위해 맨 앞에 서서 맨 마지막까지 싸우겠다"고 밝혔다. 순식간에 당원 10만 명을 돌파하고 창당 1개월 만에 12석의 원내 의석을 차지한 조국혁신당은 진보당과 더불어 국민의힘 저지선을 돌파하는데 가장 기대되는 정당이다.

축구에 비유하자면, 진보당과 조국혁신당은 좌우 공격수에 해당할 것이다. 윤건희 정권과 국힘 108석 저지선을 좌우 양측에서 현란하게 드리블하며 때로는 더불어민주당에 결정적 패스를 하기도 하고 때로는 국힘의 허를 찌르는 슛팅을 날리기도 할 것이다. 더불어민주당은 누가 뭐래도 본진에 해당한다. 골기퍼부터 수비수 전체를 책임지고 미드 필드와 중앙 공격수를 담당한다. 본진은 덩치가 커서 움직임이 둔하고 공격과 수비 모두를 담당해야 하는 부담이 있지만, 진보당과 조국혁신당 좌우 공격수는 국힘 108석 저지선을 돌파하는 것에만 전념하면 된다.

그렇게 더불어민주당이 중앙에서 기본소득당, 사회민주당과 공을 돌리며 기회를 노리고 진보당과 조국혁신당이 상대측 좌우에서 쉴틈없이 공격을 하다보면 반드시 기회가 오게 된다. 윤건희 정권에 균열을 내고 108석 국힘 저지선이 무너지는 순간이 찾아온다. 벌써부터 안철수 등 국민의힘 일부 당선자들이 용산과 다른 목소리를 내고 있다.

저지선이 무너지는 그 순간 이태원 참사 특별법, 김건희 특검, 채상병 특검, 양곡관리법, 간호법, 노란봉투법 등을 지체없이 통과시키고 허물어진 국힘 수비수들을 제끼고 윤석열 대통령 탄핵 발의와 통과를 이뤄내면 된다. 이미 외신에서는 앞다투어 윤석열 정권의 미래를 걱정하고 있다. 특히, 일본 극우세력의 걱정이 크다.

22대 총선의 주인공은 이재명이었다.

윤건희 정부, 국민의힘, 검찰, 언론은 '이재명=범죄자' 프레임을 만들어 융단폭격을 퍼부었다. 13일의 공식선거운동 기간, 제1야당 대표 이재명은 선거 하루 전날을 포함해 무려 4일을 재판에 출석해야만 했다. 공식선거운동 기간의 30%를 재판에 출석했지만 이재명의 민주당은 사상 최초 야당 과반의석을 훌쩍 뛰어넘는 171석 압승을 거두었다.

2022년 8월, 민주당 당대표 경선에서 77.8%의 압도적 득표율로 당선된 이재명은 지지자들의 기대에도 불구하고 시종일관 조용하고 차분한 모습을 보였다. 그래서 과거 성남시장, 경기도지사 시절 보여주었던 '사이다 이재명'은 사라진 게 아닌가 하는 비판의 목소리가 터져 나왔다.

22대 총선 공천을 앞두고는 '이재명 사당화' '친명공천'이라는 프레임의 공격을 당내외에서 집중적으로 받았다. 이재명과 대선후보 경선을 치루었던 이낙연 전 대표가 탈당하여 신당을 창당하였고, 김영주 전 국회부의장과 이상민 의원은 탈당 후 국민의힘으로 입당하였으며, 조응천, 이원욱, 홍영표, 김종민 의원이 탈당하였다. '범죄자', '사법리스크', '이재명 사당화', '친명공천' 등의 온갖 정치적 공격에 더해 1월 초에는 부산 가덕도신공항 부지 시찰 중 괴한에게 목을 찔리는 정치테러를 당하기도 하였다.

그럼에도, 이재명의 민주당은 지역구 161석에 더불어민주연합 14석중 10석을 합해 171석의 역대급 압승을 거두었다. 민심은 이재명에 대한 정치적 공격에 전혀 동의하지 않았다. 오히려 이재명 대표에게 강력한 힘을 실어주었다. 이제 더불어민주당이 답을 할 차례이다. 22대 총선에서 당선된 민주당 후보들은 한결같이 당선 소감의 첫 일성으로 '윤석열 정권 심판'을 부르짖었다. 윤건희 정권 심판은 국민이 부여한 민주당의 지상과제가 맞다. 그런데, 윤건희 정권 심판과 동시에 절대 놓치면 안되는 지상과제가 있다. 바로 이재명 정부를 준비해야 하는 과제이다.

민주당은 22대 총선 이후 사실상의 여당이라는 마음가짐으로 파탄난 민생경제를 되살리고 굴욕적인 외교관계를 복원하는데 노력해야 할 것이다. 윤석열 정부 집권기간은 윤건희 정권뿐 아니라 국민의힘도 집권당의 자격이 전혀 없음을 입증해 주었다. 이제 민주당이 사실상의 여당이라는 마음가짐으로 국정을 주도해야 할 것이다.

우선, 윤건희 정권 및 국민의힘과 관료사회를 분리하는 지혜가 필요하다. 말을 안해서 그렇지 다수의 공무원들은 윤건희 정권 2년에 불만이 많다. 문재인 정부시절, 세계에서 가장 모범적인 코로나 19 대응책을 운영했던 한국의 공무원들이 윤건희 정권 이후 무능한 집단으로 평가받고 있기 때문이다. 이재명 대표는 성남시장 경기도지사 시절 보여주었던 탁월한 행정능력의 소유자이다. 이를 잘 알고 있는 관료들이 서서히 민주당에 우호적인 태도를 보이며 사실상의 집권당으로 대우할 것이다.

다음으로, 민주당은 지난 문재인정부 시절의 과오에 대해 시급히 점검하고 대책을 수립해야 차기 민주정부를 집권할 수 있다. 총선과 달리 대선은 미래비전을 놓고 경쟁하는 선거이다. 2022년 대선, 이재명 후보의 비전 중 기억나는 게 탈모공약밖에 없었다는 비판을 직시해야 한다. 지금부터 준비하지 않으면 총선에서 압승하고 대선에서 패배할 수 있는 역사적 과오를 저지를 수 있다.

4-2 진보주의 축의 이동

20세기가 19세기 말 사망한 마르크스에게 직간접적으로 영향을 받은 좌파-우파, 공산주의-자본주의, 진보-보수의 스펙트럼으로 나뉘어진 시대였다면 우리가 현재를 살고 있는 21세기는 다른 문법 기준 잣대가 필요하다고 생각했다. 결국 자녀의 입시비리 혐의가 가장 큰 쟁점이었던 조국사태를 좌우 또는 진보-보수의 문법으로 해석할 수 있을까? 한겨레와 경향을 언제까지 진보언론으로 볼 수 있을까? 김어준 현상을 어떻게 이해할 수 있을까? 민주노동당의 원내진입 이후 20년 만에 원외정당이 된 정의당을 어떻게 해석해야 할까?

기존의 진보-보수 스펙트럼이 아닌 1987년 6월 항쟁 이후 한국사회의 가장 큰 담론이었던 민주화 담론을 넘어선 새로운 담론을 찾기 위해 고민정, 천호선, 최병천, 박세길, 박창진, 김태형 멘토의 도움을 받았다. 고민정 국회의원과 천호선 노무현 시민정치학교장은 비주류 소수 저항의 정치를 넘어선 주류의 정치를 해야한다고 했다. 청와대 출신답게 책임의 정치도 강조하였다. 최병천 신성장경제연구소장과 박세길 새로운사회를여는연구원 이사는 신성장 AI시대를 주목해야 한다고 했다. 그러면서 미래가 곧 진보라는 조언을 해주었다. 박창진 전) 대한항공 사무장과 김태형 심리학자는 인류 보편의 인권을 강조하였다. 개인주의적으로 파편화된 인권을 진보로 착각하는 현상에 대해 강하게 일침을 놓았다.

6명 멘토의 조언을 키워드 중심으로 살펴 보았더니 #주류 #책임 #신성장 #미래 #보편적인권 정도로 분류되었다. 키워드에 살을 입히고 주제를 뽑아 대학생 그룹과 사회인 그룹을 대상으로 포커스 그룹인터뷰(FGI)를 진행하였다.

마르크스 이후 우리는 좌-우, 진보-보수를 X축 선상에서만 생각했던게 아니었나 싶었다. X축의 중심점을 중도로 놓으면, 중도에서 좌측으로 멀어질수록 진보, 우측으로 멀어질수록 보수라는 그림이 완성된다. 그려놓고 보니 참 단순한 도식이란 생각이 들었다.

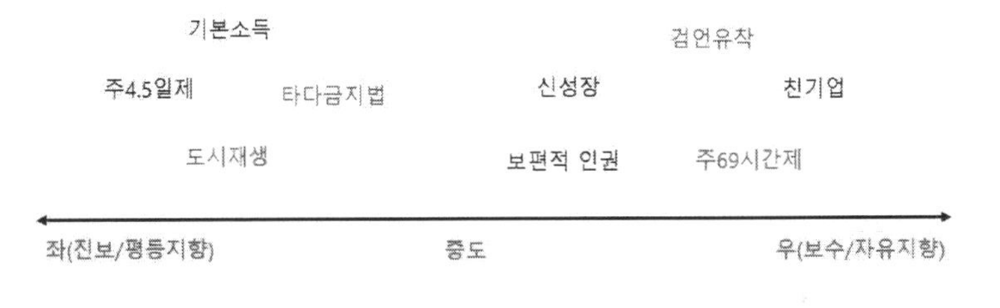

[그림 4-1] 20세기형 진보 보수 스펙트럼 구성

허전한 X축에 세로 Y축을 그려 보았다. 여기에 최병천, 박세길 멘토의 의견에 따라 중심점을 현재로 놓고 중심점에서 위(+)로 올라갈수록 미래, 아래(-)로 내려올수록 과거로 배치하면 21세기형 스펙트럼이 완성된다. 이를 도식으로 표현하면 아래와 같다.

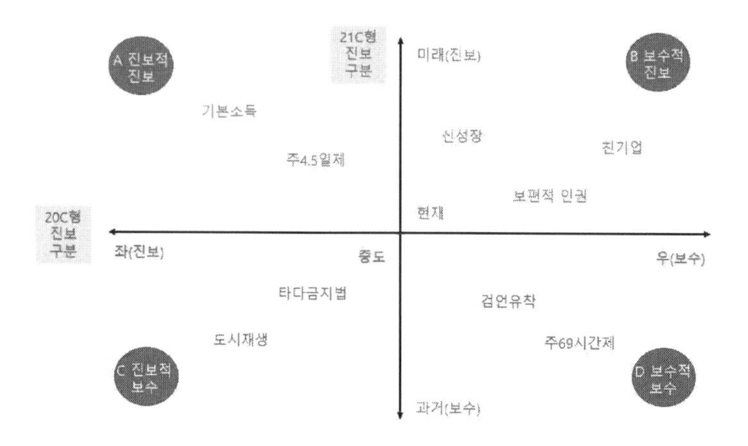

[그림 4-2] 21세기형 진보 축의 이동

이해를 돕기 위해 사례를 들어보자.

2020년 3월 국회에서 통과된 일명 '타다금지법'은 기존 진보-보수 구분(X축)에 의하면 택시노동자들의 생계를 보호하기 위한 법이었으니 진보에 조금 더 가까웠을 것이다. 그런데, 신개념 플랫폼을 개발한 스타트업 기업 입장에서는 신기술을 시장에 적용할 기회를 잃었으니 과거 퇴보적 결정으로 받아들였을 것이다. 종합하면, '타다금지법'은 기존 20세기형 구분에서는 택시노동자의 일자리를 보호한 진보적 법안일 수 있으나 21세기형 구분에서는 과거 퇴보적 결정이었기에 '진보적 보수'라고 부를 수 있겠다.

'도시재생'도 비슷하다. 주로 민주당 정부에서 추진하던 사업이라 X축에선 진보정책으로 분류되지만 도시재생의 한자 재생(再生)이 의미하듯 과거지향적 의제이기 때문에 Y축에서는 보수적 정책으로 분류할 수 있겠다. 도시재생 사업이 곳곳에서 마찰을 빚고 성과를 내지 못하는 데에는 이런 측면도 있었을 것이다. 과거지향적 의미를 지우고 미래지향적 사업으로 변모하기 위해 재생(再生)을 창생(創生)으로 바꿔 도시(지역)창생으로 재명명한 일본의 사례를 들여다볼 필요가 있다.

윤석열 정부가 추진하려 했던 '주 69시간제'는 20세기형 구분으로도 보수적 정책이고 21세기형 구분으로도 완전한 과거 퇴보형이기 때문에 '보수적 보수' 즉 '찐보수' 정책으로 분류할 수 있다. 검언유착도 마찬가지로 찐보수의 대표적 사례이다. 홍범도 장군 흉상 철거, 한미일 군사동맹, 언론탄압, 주가조작 등 윤건희 정권의 주요 정책이나 의혹들은 20세기 분류로는 우파 보수이고 21세기 분류로는 과거 퇴보적인 찐보수에 해당한다.

반면, '기본소득'이나 '주4.5일제'는 X축에서는 평등지향적이기 때문에 진보정책이고 Y축에서는 4차 산업혁명 일자리감소시대를 대비하는 미래지향적 정책이기 때문에 '진보적 진보' 즉 찐진보정책으로 분류할 수 있다.

한편, '신성장' '친기업' '보편적인권'은 논란의 소지가 있다. 우선 '신성장', '친기업'은 X축에선 평등보다 자유에 가깝기 때문에 보수적 정책이지만 Y축에선 젊은 세대가 선호하는 미래지향적 의제이기 때문에 '보수적 진보' 영역에 해당한다고 볼 수 있겠다. '보편적 인권'은 아직까지 서구의 개인주의적 인권 개념을 통념적으로 사용하는 한국사회에선 보수적 개념에 해당할 것이지만, 젊은 세대가 가장 많이 살고 있는 유라시아적 관점에서 보면 미래지향적 의제에 해당할 수 있을 것이다.

21세기 들어 정치·경제·사회분야 전문가들의 예측이 빈번하게 빗나간 데에는 20세기적 관점으로 공부한 전문가들이 관점의 변화 없이 21세기를 분석 예측했기 때문이다. 그런가하면 일부 성질 급한 사람들은 기존의 세계관을 아예 무시하고 새로운 잣대를 제시하다가 낭패를 당하곤 한다. 22대 총선에서 제3지대 정치를 지향한다며 선거에 뛰어든 사람들이 주로 해당한다. 이들은 민주 vs 반민주 구도는 끝이 났다며 586운동권 세대가 물러나고 거대 양당정치를 종식시켜야 한다고 주장했으나 국민들은 동의하지 않았다.

기존 민주화 담론의 시효가 다한 것은 맞으나 그렇다고 세상이 갑자기 변하는 것은 아니다. 지금의 한국 사회는 20세기 담론과 21세기 담론이 공존하는 시대라고 보는 것이 더 정확하다. 그래서, 기존 좌우 구도의 X축에 과거-현재-미래의 시간적 개념을 Y축으로 포개어 도식으로 표현했다. 감히, 예측하자면 앞으로의 세계는 좌-우 구분법의 X축 세계관이 축소하고 미래지향 진보적 세계관이 확대되는 시대가 될 것이다. 다만, 이 책을 집필하고 있는 2020년대는 두 개의 세계관이 공존하는 시대이다. 한 가지 확실한 것은 세계관 변화의 속도가 매우 빠르다는 점이다

4-3 국제질서 축의 이동

윤석열 정부가 일본 후쿠시마 핵오염수의 안전성을 홍보하고 우크라이나에 포탄을 지원하는 동안 세계 질서도 급격히 변동하였다. 개전 초기 대다수 언론의 전망과 달리 러시아의 경제는 오히려 좋아졌고 푸틴은 재선에 성공한 반면 우크라이나 알렌스키 대통령은 사면초가의 상황에 처했다. 이스라엘의 팔레스타인 침공에 대한 국제사회 규탄의 목소리는 이스라엘 내부로까지 이어져 네타냐후 총리 퇴진시위가 이어지고 있다.

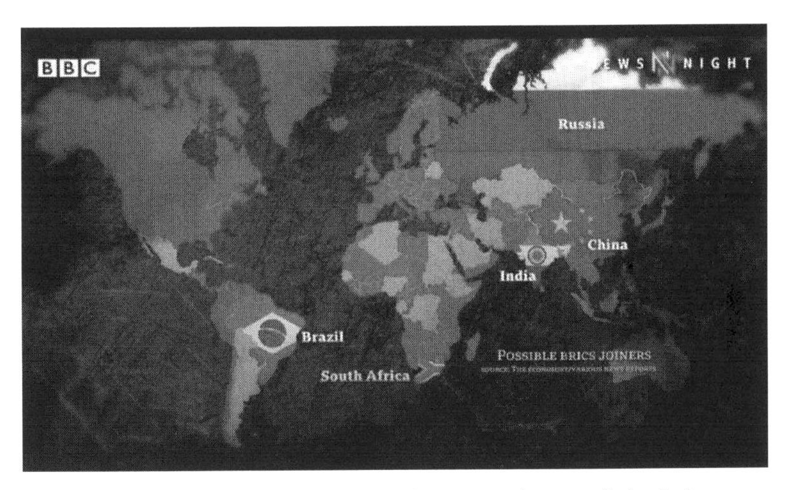

[그림 4-3] 브릭스(Brics) 지도 _ 영국 BBC 유튜브 화면 캡처

미국과 유럽의 경기침체가 지속되는 사이 중국, 러시아, 브라질, 인도, 남아공, 아르헨티나, 사우디아라비아, UAE, 이란으로 구성된

브릭스(Brics)는 전 세계 경제의 40% 정도를 차지하는 G7과 맞먹는 경제규모로 성장했다. 무엇보다 사우디아라비아, UAE 등 산유국의 브릭스(Brics) 가입이 눈에 띈다. 이미 중국-러시아-인도-브라질이 자국 화폐 교역을 시작한 마당에 석유 거래마저 달러화가 아닌 위안화 등 자국 화폐를 사용한다면 달러 패권이 무너지는 것은 시간 문제일 것이기 때문이다.

브릭스 확장의 또 다른 관전 포인트는 1960년대 미국과 소련 중심의 양대진영을 거부하며 출범했던 비동맹회의의 실패사례와도 다르다는 점이다. 이념 대결의 고래싸움에 비동맹 노선을 표방했던 1960년대와 달리 오늘의 브릭스는 자본주의 경제질서를 대표하는 G7에 버금가는 규모의 경제 블럭이란 사실이다. 1960년대와 달리 오늘의 시대는 경제가 곧 이념이고 군사대결이고 국력인 시대이다. 세계가 생각보다 더 빠르게 변화하고 있다.

미국 중심의 세계질서가 변화하며 떠오르는 곳이 바로 유라시아 대륙이다. 러시아, 중국, 인도의 세로축에 가파른 경제성장을 이루고 있는 동남아시아와 중동의 가로축이 연결되는 대륙이다. 중국이 이 기회를 놓칠리 없다. 유라시아 대륙과 해상을 연결하는 일대일로(一帶一路)란 이름의 대규모 실크로드 경제벨트를 2049년 완성을 목표로 구축하고 있다. 2049년은 중화인민공화국 건국 100주년이 되는 해로 미국을 능가하는 세계 최강국을 목표로 하고 있다. 중국은 100년 단위 계획을 세우는 지구상 유일한 국가이다.

2021년 2월 군부 쿠테타로 촉발된 미얀마 사태의 해결과정은 향후 세계질서가 미국 중심이 아닌 다극적 질서로 변화할 것임을 상징한다. 같은 해 4월 24일 아세안(ASEAN. 동남아국가연합)은 10개 회원국 정상들이 참석한 가운데 특별정상회의를 열고 ▲ 미얀마의 즉각적 폭력중단과 모든 당사자의 자제 ▲ 국민을 위한 평화적 해결책을 찾기 위한 건설적 대화 ▲ 아세안 의장과 사무총장이 특사로서 대화 중재 ▲ 인도적 지원 제공 ▲ 특사와 대표단의 미얀마 방문에 합의했다.

아세안은 중재라는 이름으로 해상을 봉쇄하고 공습과 폭격을 일삼는 미국이나 서방과는 달랐다. 서방언론의 비관적 전망을 뒤집고 즉각적인 폭력중단과 아세안 특사파견 및 중재에 만장일치로 합의하는 수준 높은 외교력을 보여주었다. 2억 5천만 무슬림과 1억 4천만 불교도, 1억 3천만 기독교인, 7천만 힌두교가 공존하는 아세안 지역은 왕국부터 사회주의 국가까지 다문명·다종교·다체제가 공존하는 지역이다. 공존의 외교를 보여준 아세안이야말로 민주주의의 교과서라고 부를 만하다.

반면, 자유·인권·민주주의 가치동맹 세계의 중심축인 미국의 민주주의는 심각히 퇴보하고 있다. 2021년 1월 6일, 미국 민주주의의 상징인 국회의사당이 2020년 대선에서 낙선한 트럼프 후보의 지지자들에 의해 점거되는 초유의 사태가 발생했다. 대선 패배 이후 대선 결과에 승복하지 않고 부정선거 음모론을 주장한 트럼프를 지지하는 폭도들이 바이든 후보에 대한 의회의 대통령 인준을 막기 위해 벌인 일이었다. 이 과정에서 다수의 사망자와 부상자가 발생하였다.

1987년 6월 항쟁으로 쟁취한 대통령 직선제를 실시하고 있는 우리나라와 달리 미국은 아직도 대통령을 간선제로 선출하는 비민주적 선거제도를 운영하고 있다. 2021년 미 의회 점거사태는 대통령 당선자를 유권자가 아닌 의회 인준으로 결정하는 미국식 선거제도의 한계를 고스란히 보여주었다. 심지어 유권자의 직접 투표로 얻은 득표율에선 승리하고도 각 주별 승자독식 선거인단 방식에 의해 당선자가 뒤바뀌는 일도 발생한다. 2000년 부시-앨 고어 대선, 2016년 트럼프-힐러리 대선 결과가 대표적 사례이다. 직접민주주의와 다수결 원칙에 정면으로 위배되는 일이다.

미국식 민주주의를 최고의 가치로 내세우는 세 명의 정치지도자, 네타냐후 이스라엘 총리와 젤렌스키 우크라이나 대통령 그리고 대한민국의 윤석열 대통령이 세계의 평화를 위협하고 있다.

네타냐후 총리는 중동과 유럽 심지어 바이든 정부의 우려에도 불구하고 팔레스타인 민간인에 대한 폭격을 멈추지 않았고 국제 구호기구 차량마저 폭격하는 잔인함을 보여주었다. 엄연한 주권이 적용되는 시리아 주재 이란 영사관 폭격마저 감행해 이란과의 전면전 위기가 치닫고 있다. 네타냐후는 UN과 국제법을 무시하며 팔레스타인 지역에 대규모 유대인 정착촌을 건설하는 등 팔레스타인에 대한 초강경 극우노선으로 유명한 정치인이었다. 인종청소에 비유될 정도로 무자비한 가자지구 폭격은 네타냐후의 극우적 성향과 밀접한 영향이 있다.

러시아의 침공으로 시작한 우크라이나 전쟁의 1차적 책임은 분명 러시아에 있다. 그러나, 우크라이나 역시 전쟁의 책임에서 자유로울 수 없으며 그 중심에 젤렌스키 대통령이 있다. 2022년 2월 24일 발발한 우크라이나 전쟁은 블라디미르 푸틴 대통령이 우크라이나의 비무장화, 비나치화, 돈바스 지역 주민들을 보호한다는 명분으로 시작했지만 전쟁을 피할 핵심사항은 한 가지였다. 푸틴은 우크라이나가 NATO(북대서양조약기구) 가입을 하지 않겠다는 약속을 할 것을 전쟁 개시 전 여러 차례 밝혔지만, 젤렌스키 대통령은 일관되게 거부했다. 만약, 젤렌스키가 NATO가입 문제에 대해 유보적 입장만 취했어도 지금과 같은 참혹한 전쟁은 피할 수 있었을 것이다.

코미디언 출신으로 2019년 대통령에 당선된 젤렌스키는 친러시아계 주민이 다수 거주하고 있는 동부 돈바스 지역에 네오나치 세력이 주축인 아조프 연대를 최전방에 배치하는 등 극우적 성향을 드러내어 러시아의 반발을 불러일으켰다. 돈바스 지역 민간인 학살로 유명한 아조프 연대를 우크라이나 정규군으로 편입해 전투에 투입시킨 젤렌스키 대통령은 한국 언론에 보도된 자유의 수호자 이미지와는 전혀 다른 극우적 성향을 갖고 있었다.

문재인 정부 시절, 평양 판문점 백두산에서 남북의 정상이 만나 한반도의 평화를 논의하던 것이 불과 몇 년 전이었는데 윤석열 정권은 평화에 대한 모든 노력을 일거에 뒤집었다. 일본 자위대와도 손을 맞잡는 한미일 군사동맹 체제를 갖추며 북한은 물론 중국 러시아와도 적대적 관계를 조성했다. 이로 인해 남북통신망은 전면 중단되었고 한반도 위기설이 불거지고 있으며 심지어 대만해협 전쟁 발발 시 대한민국 국군이 투입될 수도 있다는 위기가 점점 현실로 다가오고 있다. 육군사관학교의 홍범도 장군 흉상을 철거하고 3.1절 기념사에서 식민지배의 원인을 군국주의 일본이 아닌 우리의 탓으로 돌리는 발언을 하여 국민적 충격을 주었던 윤석열 대통령의 극우적 성향 또한 네타냐후나 젤렌스키와 다르지 않다. 다만, 네타냐후나 젤렌스키와 다른 점이 있다면 이스라엘과 우크라이나는 현재 전시 상황이라는 것이고 우리는 전시 상황이 아니라는 차이뿐이다.

2024년 2월 이스라엘민주주의연구소의 여론조사 결과 응답자의 85%가 전쟁이 끝난 뒤 네타냐후 총리가 자리에서 물러나야 한다고 답했다. 같은 해 3월 31일에는 이스라엘 시민 10만여 명이 가자전쟁 종식과 네타냐후 정부의 즉각 퇴진을 위한 조기 총선을 촉구하는 대규모 반정부 시위를 벌이는 등 네타냐후 퇴진 시위가 거세다. 2023년에는 사법부의 권한을 축소해 사실상 사법부를 무력화하려는 법안을 추진했다가 건국 이후 최대 규모의 시위가 연일 벌어지는 등 국민적 저항에 직면하기도 했다. 2024년 1월 이스라엘 대법원이 '사법부에 관한 개정 기본법'을 무효화하면서 일단락되기는 하였지만, 각종 부패 혐의와 맞물려 네타냐후 총리의 정치적 위기상황을 그대로 보여주는 사건이었다.

전쟁 초기 90%대의 지지율을 기록했던 젤렌스키 대통령은 러시아와의 휴전협정을 거부한 채 전쟁의 비극이 2년 넘게 이어지는 상황에서 2023년 말 60%대까지 지지율이 하락했고 지금은 더 심각한 것으로 전해진다. 군수품을 빼돌려 엄청난 폭리를 취한 젤렌스키 측근들의 비리로 '일코 쿠체리프 민주주의 이니셔티브 재단'과 키이우사회학연구소가 공동으로 진행한 여론조사에서 응답자의 80%는 만연한 부패의 책임이 젤렌스키에게 있다고 답했다. 2023년 영국 BBC는 전쟁 기간 젤렌스키 대통령의 재산이 무려 1조 700억 원 증가했다는 충격적인 보도를 하기도 하였다. 이는 젤렌스키가 정부자금에서 200억 달러를 횡령했다고 아자로프 우크라이나 전 총리가 밝히면서 세상에 알려지게 되었다.

22대 총선에서 국민적 심판을 받은 윤석열 대통령도 임기 2년차 정치적 위기에 직면했다. 윤 대통령은 취임 직후부터 국민의 약 60%로부터 불신을 받는 상황에서 네타냐후, 젤렌스키처럼 부정부패와 권력형 비리혐의가 터져 나오면서 22대 총선에서 국민적 심판을 받았다.

이처럼, 네타냐후, 젤렌스키, 윤석열 세 사람은 '극우적 성향'과 '정치적 위기'라는 두 가지의 공통점을 지니고 있다. 그래서, 일각에서는 윤건희 정권이 이스라엘이나 우크라이나처럼 한반도를 전쟁상황으로 내몰지 않을까 심각히 우려하고 있다. 그럼에도 불구하고 우리나라가 전쟁이 아닌 평화를 유지할 수 있었던 비결, 즉 네타냐후의 이스라엘, 젤렌스키의 우크라이나 그리고 윤석열의 대한민국의 결정적 차이는 바로 국내 정치상황이었다.

먼저, 이스라엘의 정치 지형을 살펴보자.

이스라엘은 120석의 의원 전원을 지역구 없이 비례대표로만 선출하는 선거제도를 갖고 있다. 원내 진입 최소 득표율 3.25%를 넘어 원내에 진입한 정당은 10개에 이른다. 극우성향의 네타냐후 총리는 32석의 리쿠르당 소속으로 다른 우파정당 3개와 연합해 총 64석으로 120석 의석의 과반을 넘겨 집권할 수 있었다. 불과 32석의 리쿠르당이 원내 25%의 의석을 갖고도 집권할 수 있었다는 특징이 있다. 야당은 6개의 정당이 51석을 갖고 있어 과반에 이르지 못했으며, 야당 중 최대의석 정당은 '예시 아티드'로 24석을 갖고 있다. 기타 정당은 10석 내외의 의석을 갖고 있다. 이스라엘의 정치지형에서 주목할 점은 100% 비례대표제가 네타냐후와 같은 끔찍한 결과를 초래할 수 있다는 점과 불과 25% 의석 지분으로도 집권 가능한 정치가 얼마나 후진적인가를 알 수 있다.

우크라이나는 전체 의석 450석 중 50%는 지역구로 50%는 비례대표제로 선출하는 선거제도를 갖고 있다. 원내 진입 최소득표율은 5%로 이 기준을 통과한 정당은 이스라엘과 마찬가지로 10개이며 무소속이 46석에 이른다. 젤렌스키는 254석의 인민의종 소속으로 2019년 대선에 출마해 당선되었다. 우크라이나는 이스라엘과 달리 대통령을 배출한 정당이 의회 과반 이상을 점유하고 있었지만, 9개로 나누어진 친러시아 성향의 야당은 43석의 정당이 최대 정당일 뿐 대부분 20석 내외의 작은 정당으로 구성된 특징이 있다.

반면, 한국은 이스라엘이나 우크라이나에서는 상상하기 어려운 정치지형을 갖고 있다.

21대 총선 기준, 103석의 미래통합당이 국민의힘으로 이름을 바꿔 윤석열 후보를 대통령에 당선시켰고, 180석으로 의회 과반을 넘는 더불어민주당이 야당으로 자리잡고 있었다. 이번 22대 총선에서는 집권당인 국민의힘이 108석인 반면, 야당인 민주당이 175석을 차지하였고 조국혁신당 등 야권이 의회 64%에 해당하는 192석을 점유하였다.

네타냐후, 젤렌스키와 달리 윤석열은 의회 과반을 훌쩍 뛰어넘는 야당을 마주하고 있다. 극심한 정치적 위기를 전쟁이라는 비극적 상황으로 모면하고 있는 네타냐후, 젤렌스키와 달리 윤석열 대통령은 한반도를 위기로 몰아가고는 있지만 윤건희 정권의 법안 하나 통과시킬 수 없는 소수파의 위치에 처해있다. 특히, 윤석열 대통령은 집권의 경험이 풍부하고 당장이라도 집권할 수 있으며 의회 과반을 넘어 175석을 점유한 중심정당을 마주하고 있다. 이스라엘이나 우크라이나는 의석 점유율이 낮은 작은 정당들이 분포한 반면, 한국은 단독으로 법안 통과가 가능한 중심정당이 존재하는 근본적 차이점이 있다. 만약, 한국도 이스라엘이나 우크라이나처럼 의석수 20석 미만의 작은 정당들이 10여 개로 나뉘어 분포했다면 극우 성향의 대통령은 정치적 위기에 무슨 일을 벌였을지 알 수 없다.

그래서, 중심정당의 존재는 현대 정치에서 가장 중요하다. 거대양당 운운하며 민주당 비판하기 바쁜 정치평론가들과 언론은 우크라이나와 이스라엘에서 무슨 일이 벌어지고 있는지 들여다보길 바란다. 그리고, 중심정당 없이 다당제 연합정치를 벌였던 남부 유럽과 남미의 경제가 얼마나 추락했는지도 살펴보길 바란다.

4-4 한국진보 40년사와 더불어민주당

1980년 5월 광주항쟁 이래 1987년 6월 항쟁까지 한국사회 운동은 학생운동을 중심으로한 비합법운동이 주를 이룬 시기였다. 대학 내 경찰이 상주하던 전두환 정권의 가혹한 탄압으로 인한 불가피한 상황이었다. 1987년 대선에서 민족민주(민중)운동 진영은 김대중-김영삼 후보단일화를 강력히 요구하였으나 실패했고 노태우가 당선되었다. 학생운동 제헌의회파(CA)의 지지를 받은 백기완 후보는 양김 후보단일화를 요구하며 사퇴했다.

1987년 6월 항쟁 이후 1992년까지의 시기는 대중적 민중운동이 봇물 터지듯 성장한 시기였다. 주로 6전 조직이라 불리던 전대협, 전노협, 전교조, 전농, 전빈협, 전민련이 결성되어 전국적 대중투쟁을 이끌었다. 1991년 12월 결성된 민주주의민족통일전국연합은 김대중 후보를 비판적 지지후보로 결정하였고, 1992년 총선에서 당선자를 배출하지 못해 정당 해산된 민중당을 대신해 백기완 후보는 무소속으로 출마해 5위로 낙선했다.

1993년부터 2000년대 초순까지는 민중운동과 시민운동이 양립하는 시기였다. 학생운동은 1996년 연대항쟁과 1997년 한총련 출범식 등을 겪으며 쇠퇴의 길을 겪었으나, 노동운동은 1995년 민주노총을 결성하여 1997년 노동법 날치기 저지 총파업을 승리하는 등 성장의 길을 걸었고 민중운동진영은 전국연합 - 민중연대/통일

연대 - 한국진보연대(2006창립)의 길을 걸어왔다.

한편, 경실련(1989창립), 환경운동연합(1993창립), 참여연대(1994창립)로 대표되는 시민운동이 90년대 초중반부터 본격적인 활동을 시작하여 2000년 총선 낙천낙선 운동을 이끄는 등 2000년대 초기까지 사회적 역할을 하였다.

1998년 울산 동구청장 당선을 시작으로 진보정당 운동이 본격화 되었다. 2000년 창당한 민주노동당은 2002년 지방선거에서 기초단체장 2명, 광역의원 11명을 당선시켰고, 2003년 전농의 민주노동당에 대한 배타적 지지 결정으로 노동운동과 농민운동이 함께 지지하는 진보정당으로 자리매김하여 2004년 총선에서 10석을 당선시키는 성과를 이루었다.

2004년부터 2012년경까지 진보정당이 사회운동의 중심에 자리잡은 시기였다. 전국의 시군구를 망라하는 민주노동당의 안정적인 지역구 체계는 곧 전국적 민중운동의 구심적 역할을 하였으며 2000년대 중반 신자유주의 반대투쟁 등에서 빛을 내었고 민중운동 진영과 의회가 전술적으로 결합하는 성과를 내기도 하였다.

그러나, 2008년 민주노동당이 진보신당과 분당이 되고 2011년 민주노동당, 진보신당, 국민참여당이 통합진보당으로 합당하는 부침을 겪으며 민중운동 진영과의 거리가 발생하고 진보적 지지층의 일부가 이탈하기도 하였다. 그럼에도 2012년 총선에서 통합진보당이 얻은 13석(지역구 7석, 비례 6석)은 한국 진보정당 역사상 최다 의석의 기록이다.

2012년 통합진보당 사태 이후 2022년까지는 진보다당제 시기였다. 2022년 대선에 후보를 출마시킨 진보정당은 정의당, 진보당, 기본소득당, 노동당 4개 정당에 이르며 4개 진보정당 후보가 얻은 득표의 총합은 2.55%에 그친다. (녹색당은 불출마했고, 미래당은 김동연 후보를 지지함)

그리고, 2024년 22대 총선 결과 정의당과 녹색당의 선거연합정당이었던 녹색정의당은 비례대표 득표 2.14%를 얻어 원내 진입에 실패했고, 진보당(3석), 기본소득당(1석), 사회민주당(1석)은 원내 진입에 성공했다. 〈경향〉, 〈한겨레〉 등 다수의 언론은 녹색정의당 원내진입 실패를 근거로 22대 국회에 진보정당이 진입 실패했다는 분석기사를 쏟아 내었다. 진보정당에서 '진보'의 기준을 더불어민주당과 손을 잡았느냐 안잡았느냐로 보는 매우 편협한 분석이 아닐 수 없다.

1980년 광주민중항쟁 이후 학생운동과 민중운동이 봇물처럼 터져나왔던 1980년대부터 노동운동과 시민단체가 전성기를 맞은 1990년대 그리고 진보정당이 원내에 진입해 활약을 벌였던 2000년대 초반까지 모든 사회운동의 종착점은 결국 정당이었다. 정당이

점점 더 중요해지는 이유는 사회가 복합적으로 발전하면서 정치인, 관료, 기업, 전문가, 노동조합, 단체 등이 각각의 역량으로는 대안을 만들기 어려운 상황에 직면했기 때문이다. 현대사회에서 다양한 이해당사자 의견을 종합하고 조율하여 대안을 창출할 수 있는 조직은 정당밖에 없다.

그런데, 한국 민주개혁진영의 중심정당이었던 민주당에는 '호남당', '지역주의', '3김정치', '빨갱이'라는 낙인이 오랜 세월 찍혀 있었다. 이런 낙인을 지우고 수권정당, 전국정당이 되기 위해 민주당은 여러 변화를 겪었다. 1990년대 김근태 민청련(민주화청년운동연합) 의장을 필두로 재야 운동권 인사들이 민주당에 합류했고, 2000년을 기점으로 우상호, 임종석, 이인영 등 전대협 학생운동출신 인사들도 합류했다. 그리고, 2010년 지방선거를 전후로 박원순 등 시민운동 진영이 합류했으며 2016년 촛불항쟁을 계기로 촛불시민들이 대거 민주당에 입당하였다.

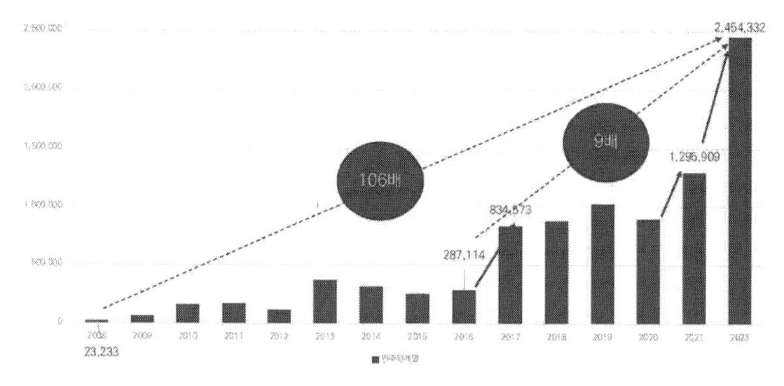

[그림 4-4] OECD 최대규모 정당으로 성장한 더불어민주당

민주당의 변화에서 가장 특이한 점은 2021년 1,295,000여 명이던 당원 수가 2022년 이재명 후보의 대선패배 이후 오히려 급증해 2023년 기준 2,454,000여 명으로 폭등했다는 사실이다. 언론에서는 '개딸현상'이라며 폄하하지만 민주당은 2008년 이후 불과 15년 만에 당원 수가 100배 이상 증가하는 기적같은 현실이 벌어졌다.

2022년 대선에서 이재명 후보는 역대 민주당 계열 대선후보 중 최다 득표인 16,147,738표를 득표했다. 이는 1987년 대통령 직선제 이후 사실상 최초의 1:1 구도에서 이룬 성과이다. 1997년 대선에서는 김대중-김종필 후보단일화와 이인제 무소속 후보 분열의 효과가 있었고, 2002년 대선에선 노무현-정몽준 단일화 합의 및 파기 소동이 있었고, 2017년 대선에선 박근혜 탄핵과 안철수 분열이라는 효과가 작용했다.

그럼에도, 현 더불어민주당의 한계 또한 분명하다. OECD 최대 규모의 정당으로 성장했지만 여전히 현역 국회의원과 지역위원장 중심의 정당구조를 유지하고 있고 다수 당원의 참여가 저조하며 '국회의원-시(도)의원-구(군)의원'의 획일적 구조를 벗어나지 못하고 있다. 그러다 보니, 시대변화에 민감하지 못하고 일부 자영업 당원 중심의 활동에 머물고 있다.

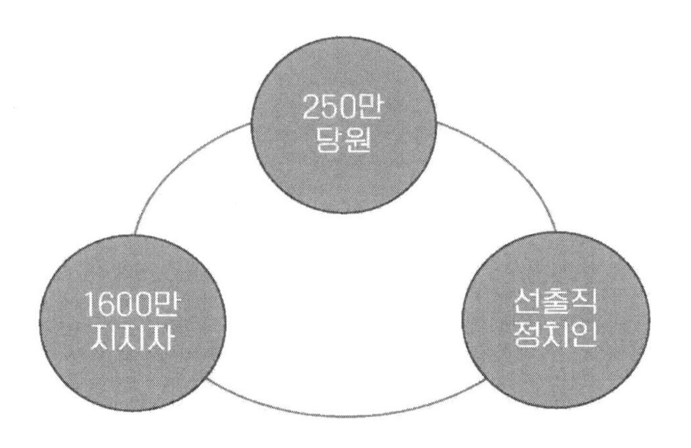

[그림 4-5] 더불어민주당 가치동맹 네트워크_정당 현대화

이를 극복하기 위해 기존 선출직 정치인 중심의 정당체계를 '1,600만 지지자' - '250만 당원' - '선출직 정치인'으로 이어지는 가치동맹 네트워크로 전환하는 더불어민주당 현대화가 시급하다. 현장의 이해당사자와 활동 당원, 전문가, 선출직 정치인이 일상적으로 소통하고 논의하고 조율해 대안을 도출하는 체계가 당내에 필요하다. 이를 통해 30년 집권정당을 꿈꿀 수 있는 '강한 정당', '중심 정당', '전국 정당' 모델을 만들어야 한다.

[그림 4-6] 당원기반 정당 현대화 방안

예를 들어, A지역위원회 사회적경제위원회는 해당 지역 민주당 지지자 중 협동조합, 사회적기업 등의 종사자를 이해당사자로 구성하고, 여기에 사회적경제에 관심있는 당원 또는 전문가와 선출직 정치인 중 일부를 연결해 일상적으로 운영하면 시(도) 구(군)의 관련 정책에 대응하고 입법과정에도 참여하며 선거시기에는 공약을 만들 수 있을 것이다. 이 과정에서 느끼는 민주당 지지자와 당원들의 정치적 효능감은 이루 말할 수 없을 것이다.

B지역위원회 'Political Day'를 운영하는 것도 좋겠다. 당원들이 1주일의 하루는 정당활동에 참여하는 날로 정해서 운영하는 것이다. 금요일 오후 또는 저녁시간이나 주말을 활용해 당원들이 각자 관심있는 의제, 직군, 취미 등으로 위원회/분과를 구성한다. 참여율을 높이고 안정적 운영을 위해 지역위원회가 지원하고 선출직 정치인들과 협업해 성과를 만들어 낸다면 지속가능한 모델이 될 것이다.

4-5 이재명 시대 진보의 담론 _ 신성장 친기업 신노동 진보주의

20대 총선을 한 달 앞둔 2020년 3월 6일, 국회는 '타다 금지법'으로 알려진 여객자동차운수사업법 개정안을 재석의원 185명에, 찬성 168명, 반대 8명, 기권 9명으로 통과시켰다. 법안 표결을 앞두고 타다를 운영하던 쏘카(SOCA)의 이재웅 대표는 "이 법안은 타다는 물론 타다 같은 혁신적인 영업들의 진출이 막히는 법"이라며 문재인 대통령에게 거부권 행사를 요청하고 "미래 편에, 국민 편에 서야 할 정부와 국회가 170만 명의 국민 이동을 책임졌던 서비스를 문 닫게 한다. 국토교통부와 국회는 국민 선택권을 빼앗고 과거 시간으로 되돌렸다"고 비판했다.

2020년 문재인 정부와 민주당은 왜 '혁신적인 기업들의 진출을 막고 시간을 과거로 되돌리는' 결정을 했을까? 윤건희 정권 이후 민주당이 집권하고 지속가능한 국정 운영을 위해서는 이 질문에 답할 수 있어야 한다. 2022년 대선 패배 이후, 민주당 비상대책위원회(위원장 우상호)가 펴낸 '민주당 새로고침보고서'에 따르면 대한민국의 유권자는 기존처럼 단순히 진보, 보수, 중도로만 분류할 수 없고 개인의 가치 지향에 따라 6개의 그룹으로 분류된다고 한다.

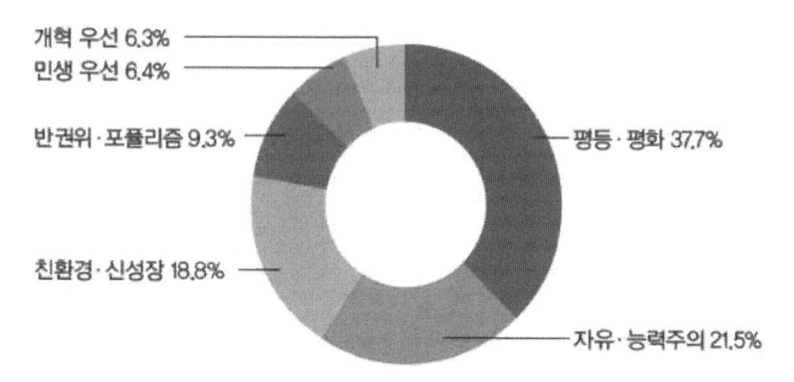

[그림 4-7] 가치지향에 따른 6개 유권자 분포

6개의 그룹 중 전통적으로 민주당을 지지했던 평등·평화그룹(37.7%)외에 민주당이 선거에서 승리하고 집권하기 위해서 필수적으로 지지를 이끌어야 할 그룹이 친환경·신성장 그룹인데 유권자 중 무려 18.8%에 이른다. 적어도 18.8%에 이르는 친환경·신성장 그룹의 유권자 중 상당수는 문재인 정부와 민주당의 '타다 금지법' 통과에 상당히 실망했을 가능성이 높다.

법안을 대표 발의했던 박홍근 전 민주당 원내대표는 "정부·택시업계·모빌리티 업계·국회가 머리를 맞대고 사회적 대타협 노력을 집중적으로 전개했고 1년여의 오랜 숙의 끝에 대타협안을 도출해 여야 모두 당론 수준으로 여객운수법 개정을 마무리했다"며 "신구산업 간의 사회적 갈등을 해소하는 내용을 입법화한 문재인 정부와 민주당에 반혁신, 반시장이라는 덫만 씌우려는 정치적 프레임은 동의하기가 어렵다"고 밝혔다. 2018년 10월 서비스를 시작해 2020

년 170만 명의 회원수로 성장한 타다 베이직 서비스는 택시업계의 거센 반발을 불러왔고 당시 여당이었던 민주당이 야당, 정부, 택시 업계, 모빌리티 업계와 사회적대타협을 거쳐 여객운수법 개정을 도출했다는 것이다.

박홍근 의원 측의 이러한 주장은 2023년 6월 1일, 대법원 3부(주심 오석준 대법관)가 여객자동차운수사업법 위반 혐의로 기소된 이재웅 전 쏘카 대표와 박재욱 전 VCNC 대표의 상고심에서 무죄를 선고한 원심을 확정하며 설득력이 떨어지게 되었다.

운전자가 딸린 11인승 승합차를 스마트폰 앱을 통해 이용자에게 빌려주는 타다 베이직 서비스에 대해 택시 업계가 '불법 콜택시'라며 반발하고 검찰이 2019년 10월 타다 서비스가 여객자동차법상 금지된 '불법 콜택시 영업'에 해당한다고 보고 타다 측을 기소했지만, "기사 포함 렌터카 서비스는 종래 렌터카 업계에서 적법한 영업형태로 정착돼 있었고 피고인들은 타다 서비스의 출시 과정에서 국토교통부 등 관계기관과 여러 차례 협의했으며 합법 운영을 위해 서비스에 대한 계획을 수정하기도 했다"며 1심과 2심에서 전원 무죄판결을 내린 바 있다.

특히, 1심 무죄판결이 내려진 2020년 2월 19일의 불과 보름뒤 국회가 '타다 금지법'을 통과시킨 것은 어떤 이유로든 설명하기 어렵다. 비판은 당론으로 '타다 금지법' 찬성을 결정한 미래통합당 보다는 자유표결이었지만 사실상의 당론과 다름없던 민주당과 문재인 정부에 쏟아졌다. 총선을 한 달여 앞두고 택시업계의 표를 의식했다는 비판이 이어졌다.

물론, 모두를 위한 정치란 현실에서 있을 수 없고 선택과 판단 그리고 우선순위의 결정이 정치의 어려운 영역이지만, 2020년 당시 문재인 정부와 민주당이 택시업계의 손을 들어준 것은 부인하기 힘들다. '타다 금지법' 통과 뒤 타다 베이직 서비스는 전면 중단되었고, 막대한 영업손실을 만회하기 위해 직원들의 희망퇴직을 받고 다른 상품들을 출시하였지만 이재웅 쏘카 대표와 박재욱 VCNC 대표는 결국 사퇴하였고 타다는 생존의 기로를 걷고 있다.

2011년 창업해 성수동의 대표적인 스타트업 기업으로 성장한 VCNC의 사례는 뼈아프다. VCNC의 사례는 민주당이 앞으로 어떤 가치 판단과 기준으로 정책을 결정하고 국정을 운영할 것인지를 가늠하는 중요한 선례가 될 것이다.

4차 산업혁명과 인공지능(AI)시대, 진보의 경제노선을 설계하는데 있어서 참고할 주요 경제인으로 알리바바의 창시자 마윈(馬雲)을 들 수 있다. 마윈은 현재의 기술혁신이 인류의 불평등 해소와 기후위기에 획기적 전환을 가져올거라 전망한다. 기술혁신으로 위험하고 단조롭고 기피하는 노동은 로봇이나 기계에게 맡기고 사람은 자신의 창의성을 발휘할 수 있는 일에 집중해도 생산성이 충분히 담보

되기 때문에 경제성장을 이룰 수 있다는 설명이다.

2016년 3월 9일부터 15일까지 서울에서 열린 이세돌 9단과 알파고의 바둑 대국 결과는 앞으로 다가올 AI시대 인간의 역할에 대한 근본적 질문을 던졌다. 5번의 경기에서 알파고가 이세돌을 4승 1패로 꺾었기 때문이다. 알파고는 구글 딥마인드(DeepMind)가 개발한 인공지능 바둑 프로그램으로 컴퓨터가 스스로 분석하고 학습하는 딥러닝(Deep Learning) 방식을 사용해 바둑을 익혔다고 한다. 이후 알파고와는 비교할 수 없을 정도로 발전한 오픈소스 바둑 프로그램 카타고(KataGo)가 등장해 사람들을 놀라게 했다.

그런데, 2023년 미국 캘리포니아 AI연구소 FAR AI의 인턴 연구원인 켈린 펠린이 카파고와의 대국에서 15전 14승 1패라는 놀라운 성적으로 카파고를 무너뜨렸다. 아마추어 바둑 6단인 켈린 펠린은 바둑을 정석대로 두지 않고 변칙적인 바둑으로 카파고를 여유있게 이겼다고 한다.

마윈과 알파고의 사례는 AI시대 진보의 경제방향을 결정하는데 중요한 시사점을 던져준다.

하나는 인간의 고유한 창조성이 혁신기술과 만나면 생산성을 극대화할 수 있다는 점이고, 다른 하나는 기술혁신으로 발생하는 생산성과 부가가치를 불평등과 기후위기 해소에 투입하면 획기적 전환을 가져올 수 있다는 점이다. 현재 진행 중인 기술혁신의 속도는 불평등과 기후위기 해소를 담보할 수 있을 정도로 빠르다. 문제는 이런 상상력을 국정방향과 정책으로 설계하고 결정할 수 있는 정치의 힘, 즉 정치력이다.

오늘날 우리가 겪고 있는 불평등의 문제는 복잡하고 다층적이다.

보수 정치권과 언론은 끊임없이 선별지원을 주장하지만 현실은 그렇지 않다. 이전에는 존재하지 않았던 AI시대 급격한 일자리 감소, 기술격차, 정보불평등 등의 문제에 전통적 불평등 요소인 소득격차, 세대간 불평등, 지방소멸 등의 문제를 합하면 선별지원 주장이 얼마나 구시대적인 것인지 알 수 있다.

이런 점에서 보았을 때, 이재명 후보가 2022년 대선에서 이루지 못한 기본소득 정책은 의미가 깊다. 22대 국회 개원을 앞둔 2024년 5월 8일, '기본사회 실현을 위한 제22대 국회 정책 간담회'가 국회에서 열렸다. 더불어민주당 기본사회위원회와 사단법인 기본사회의 주최로 열린 간담회에 참가한 국회의원들은 "22대 국회에서는 반드시 이재명의 기본사회를 실현할 것"이라고 약속했다. 2022년 기본소득에 머물던 정책이 기본소득은 물론 기본 금융, 기본 주거, 경제적 기본권으로까지 확대되어 향후 대한민국 30년의 미래비전으로 설계되고 있다.

이제 한국의 진보에게 신성장 담론은 피할 수 없는, 아니 앞장서 주도해야할 핵심 경제노선이다. 진보를 규정하는 축이 좌우 스펙트럼 중심의 X축에서 미래지향 실용중심의 Y축으로 빠르게 이동하고 있다. 우리의 몸은 20세기 X축과 21세기 Y축의 교집합에 머물러 있지만, 지향해야 할 눈은 5년, 10년, 30년 후의 미래를 내다보아야 한다. 그런 점에서 진보를 논하면서 시장경제 운운하는 것은 의미가 없다. 시장경제의 바탕 위에서 신성장 동력을 이끌 기업이 인간의 창의적 지식노동과 결합한 혁신기술로 부가가치를 창출하여 불평등과 기후위기 해소에 기여하도록 해야 한다. 21세기 진보가 해야할 일이다.

따라서, 21세기형 진보는 20세기적 진보의 규정에 갇히지 말고 #신성장 경제를 이끌 #친기업 노선의 정립이 필요하다. 그리고, '타다금지법'의 사례에서 보았듯이 노동과 일자리의 개념을 AI시대에 맞게 확장하되 인간의 존엄성과 창의성이 구현될 수 있는 #신노동 진보노선을 만들어야 한다. AI시대 창의적 지식노동이 구현되는 신노동 정책이 실현되기 위해서는 평생교육 중심의 교육정책 재편도 필수적이다. 신성장·친기업·신노동 진보노선을 정책으로 입안하고 국정에 반영할 수 있는 세력은 정당밖에 없다. 22대 총선에서 압승한 더불어민주당이 풀어야 할 숙제이다. 이재명 시대 진보의 담론을 이끌어 갈 더불어민주당의 과제를 5가지 영역으로 정리하자면 아래와 같다.

첫째, 민주당은 '주류의 정치'를 서술해야 한다.

더불어민주당은 250만에 달하는 권리당원을 보유한 OECD 국가 중 가장 큰 규모의 정당임을 인식해야 한다. 외형적 당원 숫자보다 더 중요한 것은 내용이다. 2008년 2만 명대까지 추락했던 민주당의 권리당원은 2022년 대선과 지방선거에서 연이어 참패하고 당대표가 툭하면 소환조사 당하고 대표와 주변인이 수백차례 압수수색을 받는 상황에서 오히려 급상승했다.

유독 정당 불신이 높은 한국에서 집권당도 아닌 야당에 입당한 당원들의 높은 정치의식은 이번 총선 공천의 당원투표 과정에서 여실히 드러났다. 당원 혁명으로 불리는 당원투표에서 현역 국회의원의 40% 이상이 교체되었다. 기존 민주당은 호남과 운동권 세력의 결합으로 전국정당을 이룰 수 있었다. '호남'과 '운동권'이 상징하듯 민주당에는 저항의 피가 흐르고 있다. 그런데, 250만 민주당은 기존의 저항을 뛰어넘는 주류의 정치를 서술해야 한다.

흔히, 언론과 정치평론가들이 툭하면 거대 정당의 문제점을 거론하지만 현실은 그렇지 않다. 현실의 세계는 중심정당이 있는 국가의 정치상황이 안정적이고 그만큼 경제도 발전한다는 사실을 인식해야 한다. 민주당은 대한민국의 중심정당으로 30년 집권시대를 준비해야 한다. 그래야 국민이 행복해 진다.

둘째, '신성장·친기업·신노동 진보경제노선'을 수립해야 한다.

한국이 윤건희 정권 2년 동안 '바이든'이냐 '날리면'이냐로 논쟁하고, '한중일'을 '한일중'으로 표기해야 한다며 정부가 발표하는 동안 세계는 급격히 변화했다. 두말할 나위없이 4차 산업혁명의 여파는 이미 우리의 생활 깊숙이 들어왔다. 민주당은 AI 기술혁명 시대에 맞는 신성장 경제노선을 시급히 수립해야 한다.

20세기 시각으로 좌우를 나누던 시대는 더 이상 유용하지 않다. 현재를 기준으로 적어도 10년, 20년의 미래를 내다보는 진보적 경제노선이 필요하다. 이를 위해 일부 국민들에게 인식되어 있는 반기업적 이미지를 탈피하고 신성장 시대에 맞는 신기업·신노동 정책을 수립해야 한다. 일자리 감소 시대, 기본소득 기본사회 전략은 민주당의 필수 정책이 되어야 한다.

셋째, 개인주의적 인권을 인류 '보편적 인권'으로 재인식해야 한다.

군부독재시대, 권력에 저항하던 민주인사들의 보호막으로 여겨졌던 인권이 2000년대 들어 급속히 개인주의적 인권으로 변모했다. 그 결과, 인권은 민주당 정치인들을 공격할 때에만 언론에 등장하는 소재가 되었다. 인권은 더 이상 진보의 언어가 아닌 보수의 언어임을 인식해야 한다. 20세기 시각으로 현재의 인권을 방치하면 민주당은 매 선거의 고비마다 사과하고 사퇴하고 근소한 격차로 패배하는 일을 반복해야 한다.

개인주의적 인권은 서구 중심의 시각이고, 대륙과 체제 문화 인종을 넘어 국제사회의 다수가 존중하는 인권의 개념은 UN의 〈경제적·사회적 및 문화적 권리에 관한 국제규약〉과 〈시민적 및 정치적 권리에 관한 국제규약〉이다. 개인주의적 인권과는 달리 생존권적 기본권, 사회적 기본권을 중시하여 개인의 생존을 확보하여 행복한 생활의 실현을 도모하는 개념이다. 그동안 왜곡 편향되었던 인권의 재정립이 필요하다.

넷째, '유라시아 중심의 외교경제' 지도를 그려야 한다.

윤석열 정부가 일본 후쿠시마 핵오염수의 안전성을 홍보하고 우크라이나에 포탄을 지원하는 동안 세계 질서도 급격히 변동하였다. 개전 초기 대다수 언론의 전망과 달리 러시아의 경제는 오히려 좋아졌고 푸틴은 재선에 성공한 반면 우크라이나 알렌스키 대통령은 재선을 장담하기 어려운 사면초가의 상황에 처했다. 이스라엘의 팔레스타인 침공에 대한 국제사회 규탄의 목소리는 이스라엘 내부로까지 이어져 네타냐후 총리 퇴진시위가 이어지고 있다.

미국과 유럽의 경기침체가 지속되는 사이 중국, 러시아, 브라질, 인도, 남아공, 아르헨티나, 사우디아라비아, UAE, 이란으로 구성된 브릭스(Brics)는 전세계 경제의 40% 정도를 차지하고 있는 G7과

맞먹는 경제규모에 근접하고 있다. '한미일' 가치동맹만을 외치는 윤석열 정부는 변화하는 세계질서에 대처할 실력도 이해할 능력도 상실한 지 오래다.

미국 중심의 세계질서가 변화하며 떠오르는 곳이 바로 유라시아 대륙이다. 러시아, 중국, 인도의 세로축에 가파른 경제성장을 이루고 있는 동남아시아와 중동의 가로축이 연결되는 대륙이다. 민주당은 유라시아 중심의 외교경제 로드맵 청사진을 국민에게 제시해야 한다.

다섯째, 도덕주의를 탈피하고 '실용주의 노선'을 굳건히 해야 한다.

22대 총선 막판, KBS 연합뉴스 YTN 등 레거시미디어는 하루 종일 민주당 양문석, 김준혁 후보에 대한 '불법대출의혹'과 '막말논란'을 일방적으로 쏟아부었지만 유권자들은 두 후보를 모두 당선시켜 주었다. 현대 정치에서 정치인은 종교인 수준의 도덕주의자이기보다는 시대적 과제에 얼마나 충실할 수 있는지 국민의 민생에 전념할 수 있는지를 기준으로 판단해야 한다.

여타의 사회 분야와 달리 정치는 사회의 모든 분야를 망라하는 가장 고차원적인 영역이다. 도덕성만으로 정치인의 운명을 좌우하는 것은 특히 민주당에만 적용하는 것은 옳지 않다. 정치적 올바름(political correctness, PC주의)을 주창했던 정의당의 원외정당

전략 사례에서 보듯이 국민들은 특정 단어나 문장 몇 개로 정치인을 단죄하는 세상을 원하지 않는다. 민주당은 도덕주의를 탈피하고 국민의 민생을 중심으로 실용주의 노선을 굳건히 해야 한다.

맺는 글

2022년 3월 9일, 제20대 대통령선거 결과는 윤석열 후보가 16,394,815표를 얻고 이재명 후보가 16,147,738표를 득표해 0.73% 불과 247,077표 차이로 희비가 엇갈렸다. 대선 결과에 대한 여러 분석이 있었지만, 가장 심플한 분석은 민주당 지지자 약 25만 명이 투표를 덜 한 결과이다.

민주당 대선후보에게 투표하기를 포기한 25만 명의 이유는 무엇이었을까?

대선 전 한국사회에서 어떤 사건들이 발생했는지를 살펴보면 그 이유를 찾을 수 있다. 20대 대선의 전 과정을 뒤덮은 프레임은 '역대 최악의 비호감 대선'이었다. 2016-2017년 촛불항쟁으로 심판받은 국민의힘 정당의 후보 못지않게 더불어민주당의 대선후보도 온갖 비리와 부도덕으로 얼룩져 있다는 것이 이른바 '역대급 비호감 대선' 프레임의 핵심 내용이었다. 얼핏 비호감 대선이 양비론적 프레임인 것 같지만, 국민의힘 정당은 이미 국민적 심판을 받은 정당이기 때문에 이 프레임의 핵심 타겟은 바로 민주당과 이재명 후보였던 것이다. 아무리 민주당 지지자라고 해도 탄핵받은 정당의 후보와 별반 달라 보이지 않을 정도로 비호감이라면 굳이 투표할 이유를 찾지 못했을 것이다.

하나의 사건과 한 번의 프레임으로 정치 권력이 뒤바뀔 만큼 사람들의 생각과 세상이 변하지는 않는다. 적어도 한국사회는 문재인 정부의 인기가 하늘을 찌르던 2019년부터 복합적인 사건들이 다각도에서 그러나 하나의 타겟을 향해 집요하게 발생했다. 필자는 이 시기를 '도덕성 검증의 시대' 또는 '사회여론 왜곡의 시대'라 부르고자 한다. 이 시기의 시작은 2019년 9월 조국 법무부 장관 인사청문회였으나 2018년에 이미 대반격을 예고하는 사건이 있었다. 2018년 7월, 검찰의 내사를 받던 노회찬 의원이 사망한 사건이었다. 한국인이 가장 사랑하던 정치인의 충격적인 죽음에 전국민적 애도가 이어졌으나 향후 벌어질 상황을 예견하는 사람은 없었다.

2019년 이른바 조국사태를 겪으며 비로소 검찰개혁의 이슈가 문재인 정부의 핵심 의제로 떠올랐고 기존에 공유하던 범민주진보라는 개념이 깨지기 시작했다. 검찰이 수사 중인 피의사실을 일부 언론에 흘리면 언론은 '단독'이라는 자극적인 제목의 기사로 보도하고 여타의 언론이 재탕 삼탕 기사를 쏟아내어 포털사이트에 도배될 즈음 '진보'라고 알고 있던 정당, 정치인, 지식인, 언론이 확인 사살하여 기소도 되기 전에 정치사회적 유죄를 확정해 버린다. '검찰-언론-진보'의 3각 매커니즘이 사회여론을 왜곡하고 장악하는 이상 현상이 현재까지 지속하고 있다. 이러한 현상은 조국 법무부장관 인사청문회부터 시작하여 박원순 서울시장 사망, 안희정 충남도지사 구속, 윤미향 의원과 정의기억연대 사건, 이재명 민주당 대표 기소 등 유독 더불어민주당 측 정치인들에게 집중적으로 발생했다.

한편, 촛불항쟁으로 탄핵되었던 국민의힘 측 의혹사건에 대해서는 정반대의 매커니즘이 작동하였다. 박원순 서울시장 사망 즉시 '박원순 더러워'라는 피켓을 들고 장례식장에 가지 않겠다던 진보정치인들은 '쥴리 의혹'으로 떠들썩했던 김건희 여사에 대해서는 이상하게 침묵을 유지했고 일부 인사는 여성의 사생활 문제를 정치적으로 이용하지 말라고 주장했다. 대장동과 이재명 대표의 유착 의혹을 연일 대서특필했던 언론은 정작 대장동 개발업자 김만배씨가 한겨레신문사 간부에게 9억 원을 차용증도 없이 준 사건에 대해서는 단신 기사로 처리했다. 문재인 정부 마지막 언론개혁법안에 대해서는 언론의 자유를 침해한다며 정의당, 언론노조 등이 국민의힘과 합세하여 무산시켜 놓고서는 윤석열 정부 이후 발생한 '바이든-날리면 사건'이나 'TBS 뉴스공장 퇴출' 'MBC 기자 대통령 전용기 배제' 등 연일 계속되는 언론 탄압에는 무기력하기 그지 없다.

박근혜 국정농단 촛불혁명은 미완의 혁명이었다.

이후 발생한 반동의 시기와 윤건희 정권의 등장이 이를 증명한다. 1,600만 촛불항쟁을 물거품으로 만들어 버린 원인을 외부의 변수가 아닌 민주개혁세력 내부에서 찾고자 했다. 그렇게 찾은 탐구의 주제가 '민주화 이후 진보의 담론은 무엇인가?'였다. 1987년 6월 항쟁의 성과로 쟁취한 민주화 담론이 한국 사회를 뒤덮은 지 35년이 지났지만 민주개혁세력은 민주화 이후의 담론을 제시하지 못하였다. 2022년 대선, 이재명 후보의 정책 중 기억 남는 게 탈모공약밖에 없었다는 비판을 새겨들어야 한다.

다행히 2024년 총선은 더불어민주당과 야권의 압승으로 끝이 났다.

해도 너무 한다는 전국민적 분노가 윤건희 정권 심판 투표로 이어져 더불어민주당과 조국혁신당 등 야권의 압승으로 이어졌다. 지난 5년, 반민주당 노선을 견지하며 윤건희 정권에 미온적인 태도를 보였던 정의당 역시 국민적 심판을 피하지 못했다. 총선은 정권심판적 성격이 강하기 때문에 민주개혁세력의 담론이 중요한 이슈가 아닐 수 있지만 다가오는 대선은 다르다. 대선은 적어도 5년 앞을 내다보는 미래비전에 대한 선택이다. 총선과 다른 결과가 나올 수도 있다는 뜻이다. 지금부터 미래비전을 준비하지 않으면 0.73%의 악몽이 되풀이 될 수 있다.

'민주화 이후 진보의 담론'을 찾기 위해 먼저 최근 5년 한국 정치사의 주요 사건을 되짚어 보았다. 기존의 진보-보수 프레임으로는 설명할 수 없는 사건들이 연이어 발생하고 있었다. 필자의 주변 지인들과 토론에서는 반향을 얻지 못했던 사건에 의외의 인물이 주목하고 있었다는 사실을 알게 되었다. 조국혁신당 조국 대표였다.

2021년 국민의힘 대선후보로 윤석열 후보가 선출되었을 때 가장 먼저 환영 입장을 밝힌 곳이 좌파계열 학생운동단체였다는 사실과 윤석열 검찰총장 취임 이후 정의당의 포지션이 급격히 우경화되었다는 점을 조국 역시 주목하고 있었다. 노회찬의 후원회장이기도 했던 조국은 한국 진보의 우경화에 누구보다 가슴아파 했을 것이다. 더는 진보정치에 기대할 것이 없다고 판단한 조국 자신이 정치의 길에 들어선 이유일 것이다.

카를 마르크스가 사망한 지 140여 년이 지났지만, 그가 설계한 좌우의 개념은 여전히 한국 사회를 뒤덮고 있었다. 민주화 이후 '민주 vs 반민주' 구도가 압도하면서 진지하게 진보의 개념에 대해 고민할 여력이 없었다. 그 틈을 비집고 마르크스와 서구 사회의 진보 개념이 학계와 정치권 언론에 스며 들었다. 그러다가 반동의 시기가 찾아왔고 역대 한 번도 경험해 보지 못한 윤건희 정권이 등장하였다.

20세기 시각을 뛰어넘는 진보의 개념이 필요했다.

다행히 6명의 멘토가 정치·경제·인권 분야에서 강한 영감을 주었다. 멘토에게 받은 영감을 기반으로 주제를 분류하여 포커스그룹 인터뷰를 진행하였다. 대학생 그룹과 젊은 사회인 그룹으로 나누어 진행했다. 50대 이상은 주변 지인들과의 정기적 토론을 하였다. 책을 집필하는 동안에도 세상은 하루가 다르게 변하고 있었고 필자가 설정한 민주화 이후 진보의 담론 방향과 일치하는 것으로 보인다.

이제, 지난 5년 탐구의 마침표를 찍을 때가 왔다.

탐구의 결론이라기 보다는 사회적 화두의 제시라고 이해해 주면 좋겠다. 국내외 정치·경제·인권·문화의 변화를 관찰하며 이 거대한 변화에 가장 어울리는 키워드로 찾은 것이 이재명이었다. 오해 없길 바란다. 이 책은 이재명을 염두에 두고 쓴 책이 아니라, 민주화 이후 한국사회 진보의 담론에 가장 적합한 미래지향적이고 실용적인 키워드로 찾은 것이 바로 이재명이었다는 뜻이다.

막상 이 책을 세상에 내놓으려니 필자를 거쳐간 소중한 사람들이 떠오른다. 바쁜 시간에도 불구하고 민감한 주제의 인터뷰에 응해주신 6명의 멘토와 FGI에 응해준 건국대 정치외교학과 권순후, 남예슬, 송지윤, 김지호, 김준영 학생 그리고 김동규, 양명삼, 박강산, 신동주님에게 감사드린다. 신동주님은 원고의 교정도 맡아 주었다. 초고를 검토해 준 홍형석, 이광섭님과 지난 5년 각종 현안마다 토론에 함께 해준 동료 시민들 그리고 한신대 사회혁신경영대학원 교수 및 동문의 도움이 컸다. 특히, 정의당부터 민주당까지 주요 고비를 함께 하며 촬영과 디자인을 맡아 준 문대영님에게 감사드린다.

그새 대학생이 된 첫째가 미래를 설계하는데, 고등학생이 된 둘째의 사색에 도움이 되는 책이길 바란다. 정치밖에 모르는 남편의 책이 아내에게 자랑스러울 수 있길 그리고 작은 글씨를 읽지는 못하지겠지만 이 책의 따뜻함이 부모님에게도 전해질 수 있길 바란다. 이 책의 부족함은 0.73%의 패배에 분노하고 이태원 참사 청년들에게 마음의 빚을 지고 있는 민주시민들께서 채워주시길 바란다.

2024년 6월 10일, 원고를 마치며
오봉석

부록 1

문재인 정부 개헌안

2018.03

1. 헌법 전문과 기본권

✔ "사람이 먼저다" 개헌 기본권 확대 · 주체 '국민'에서 '사람'으로

✔ 기본권 대폭 강화, 국민발안제·국민소환제 신설

□ 개헌 필요성

o 헌법은 국민의 삶을 담는 그릇임. 헌법이 국민의 뜻에 맞게 하루 빨리 개정되어 국민의 품에 안길 수 있도록 정치권의 대승적 결단을 촉구함(문재인 대통령, 2018.3.13.)

o 87년 6월 항쟁을 통해 헌법을 바꾼 지 벌써 30여 년이 흘렀음. 그동안 IMF 외환위기, 세월호참사를 거치면서 국민의 삶이 크게 바뀌었고, 촛불집회와 대통령탄핵 이후 새로운 대한민국을 요구하는 국민의 목소리는 더욱 커졌음

o 이에 문재인 대통령은 대선후보시절부터 일관되게 국민과 약속한 지방선거와 개헌 국민투표 동시 실시를 위해 국민의 의사를 반영한 개헌안을 준비하였음

□ 기본권 및 국민주권 강화 관련 조항 개헌안의 취지

o 이번 개헌은 첫째도 둘째도 국민이 중심인 개헌이어야 함
 - 국민이 바라는 대한민국은 국민의 자유와 안전, 최소한의 인간다운 삶을 보장해 주는 나라임
 - 국가는 국민의 뜻에 따라 운영되어야 함
 - 촛불시민혁명을 통해 국민들은 국민주권과 직접민주주의에 대한 강한 열망을 보여준 바 있음

o 따라서, 이번 개헌은 기본권을 확대하여 국민의 자유와 안전, 삶의 질을 보장하고, 직접민주주의 확대 등 국민의 권한을 확대하는 내용의 개헌이 되어야 함

□ 헌법 전문 개정안

o (역사적 사건) 민주화운동 과정에서 중요한 의미를 가짐은 물론 법적 제도적 공인이 이루어진 4·19혁명과 함께 부마항쟁과 5·18민주화운동, 6·10항쟁의 민주이념을 명시
※ 촛불시민혁명은 현재 진행 중이라는 측면에서 포함시키지 아니함

□ 현행 기본권 개선

o (기본권 주체 확대)

- 국제사회가 우리에게 기대하고 있는 인권의 수준이나 외국인 200만 명 시대의 우리사회의 모습을 고려해, '인간의 존엄성, 행복추구권, 평등권, 생명권, 신체의 자유, 사생활의 자유, 양심의 자유, 종교의 자유, 정보기본권, 학문·예술의 자유' 등 국가를 떠나 보편적으로 보장되어야 하는 천부인권적 성격의 기본권에 대하여는 그 주체를 '국민'에서 '사람'으로 확대하였음
- 다만, 직업의 자유, 재산권 보장, 교육권, 일할 권리와 사회보장권 등 사회권적 성격이 강한 권리와 자유권 중 국민경제와 국가안보와 관련된 권리에 대하여는 그 주체를 '국민'으로 한정함

o (기본권 규정방식 변경을 통한 기본권 강화)

- 선거권, 공무담임권, 참정권에 대하여는 규정형식을 변경하여 법률에 따른 기본권 형성 범위를 축소하여 해당 기본권의 보장을 강화함

o (노동자의 권리 강화 및 공무원의 노동 3권 보장)

- 노동자에 대한 정당한 대우와 양극화 해소, 지속가능한 성장을 위해 노동자의 기본권을 획기적으로 강화
- 일제와 군사독재시대 사용자의 관점에서 만들어진 '근로'라는 용어를 '노동'으로 수정
- 국가에게 '동일가치 노동에 대한 동일수준의 임금' 지급 노력

의무를 부과함

- 인간다운 삶을 누리도록 '고용안정'과 '일과 생활의 균형'에 관한 국가의 정책 시행 의무를 신설
- 노동조건의 결정과정에서 힘의 균형이 이루어지도록 '노사 대등 결정의 원칙'을 명시하는 한편, 노동자가 노동조건의 개선과 권익보호를 위해 단체행동권을 가진다는 점을 명확히 함
- 공무원에게도 원칙적으로 노동3권을 인정하면서 현역군인 등 법률로 정한 예외적인 경우에만 이를 제한할 수 있도록 개선
- 이를 통해 노동자의 권리를 국제수준으로 끌어 올리고, 사회경제적 민주화의 토대를 마련하고자 함

□ 신설되는 기본권

o (생명권과 안전권 신설)

- 세월호 참사, 묻지마 살인사건 등 각종 사고와 위험으로부터 우리 사회가 더 이상 안전하지 못함
- 이에 헌법에 생명권을 명시하고, 모든 국민이 안전하게 살 권리를 천명하는 한편, 국가의 재해예방의무 및 위험으로부터 보호의무를 규정

  (재해예방 및 위험으로부터 보호노력의무 → 보호의무)

o (정보기본권 신설)

- 사생활의 비밀과 자유, 통신의 자유나 언론·출판의 자유와 같

은 소극적 권리만으로는 제4차 산업혁명 시대에 충분히 대처하기 어려움

- 이를 해결하기 위해 알권리 및 자기정보통제권을 명시하고, 정보의 독점과 격차로 인한 폐해의 예방 · 시정에 관한 국가의 노력의무를 신설

o (성별·장애 등 차별개선노력 의무 신설)

- 국가에 성별·장애 등으로 인해 차별상태를 시정하고 실질적 평등 실현을 위한 노력 의무를 지워 적극적 차별해소 정책 근거를 마련함

o (사회안전망 구축 및 사회적 약자의 권리 강화)

- 모든 사회 구성원이 각자의 존엄과 가치를 지키면서 건강하고 쾌적한 삶을 누릴 수 있도록 보다 적극적인 국가의 역할이 필요
- 사회보장을 국가의 시혜적 의무에서 국민의 기본적 권리로 변경하여 사회보장을 실질화하고, 쾌적하고 안정적인 주거생활을 할 수 있는 주거권 및 국민의 건강권을 신설
- 어린이·청소년·노인·장애인과 같은 사회적 약자도 독립된 인격체로 존중하는 한편, 우리 사회의 일원으로 다양한 영역에서 동등한 권리를 가진다는 점을 분명히 함

□ 삭제되는 헌법조항

o (검사의 영장청구권 조항 삭제)

- OECD 국가 중 그리스와 멕시코를 제외하고는 헌법에 영장청구주체 규정을 두고 있는 나라가 없음. 이에 다수 입법례에 따라 영장청구주체에 관한 부분을 삭제함
- 검사의 영장청구권 규정을 삭제하는 것은 영장청구 주체와 관련된 내용이 헌법사항이 아니라는 것일 뿐, 현행법상 검사의 영장청구 자체를 부정하는 것은 아님
- 따라서, 검사의 영장청구권 규정이 헌법에서 삭제된다 하더라도 검사의 독점적 영장청구권을 인정하고 있는 현행 형사소송법은 그대로 유효함

o (이중배상금지 조항 삭제)

- 군인 등에 대한 불합리한 차별을 시정하기 위해 군인 등의 국가배상청구권 제한 규정은 삭제함

□ 국민주권강화 : 국민발안제, 국민소환제 신설

- 국회의원은 명백한 비리가 있어도 법원의 확정판결에 따라 국회의원직을 상실하기 전까지 아무런 책임을 지지 아니함. '세월호 특별법' 입법 청원에 600만 명의 국민이 참여했지만 입법발의가 이루어지지 않았음

- 우리 헌정사에서는 1954년 헌법에 헌법에 대한 국민발안제만 규정된 바 있음
- 헌정사상 처음으로 권력의 감시자로서, 입법자로서 직접 참여하고자 하는 국민의 요구에 따라, 국민이 국회의원을 소환할 수 있도록 하는 규정과 국민이 직접 법률안을 발의할 수 있도록 하는 규정을 신설
- 직접민주제 대폭 확대를 통해 대의제를 보완하고 민주주의의 발전에 크게 기여하리라 생각함

2. 지방분권과 경제

✔ 대통령 개헌안에 수도조항·토지공개념 명시, 경제민주화 강화
✔ 수도 이전 필요성 대두 여지
✔ '퇴직 후에도 청렴 의무' 전관예우 방지조항 신설
✔ '지방분권국가 지향' 삽입…자치행정·자치입법·자치재정권 대폭 강화
✔ '지자체→지방정부'로 변경, 제2국무회의 신설
✔ 주민발안·투표·소환제 명시

부록 2

시민적 및 정치적 권리에 관한 국제규약

[International Covenant on Civil and Political Rights]

제21회 국제연합총회에서 1966년 12월 16일 채택되고 1976년 3월 23일 발효되었다. 한국은 1990년 7월 10일 발효되었다. 개인의 시민적, 정치적 제 권리의 국제적 보장을 정한 국제조약이다.

국제연합의 인권위원회는 세계인권선언에 이어 국제조약의 형식 내용을 갖춘 국제인권규약의 입안에 몰두하였다. 당초는 이 시민적, 정치적 권리를 중심으로 입안을 진행하였지만 개발도상국의 의향을 반영한 1954년의 제6회 국제연합총회 결의에 기초하여 경제적, 사회적, 문화적 제 권리에 관한 규약안(A안)을 독립시키고, 시민적, 정치적 권리에 관한 규약안을 B안으로서 심의하고, A안과 B안에 대해서 1954년 최종안을 작성하고 경제사회이사회를 통하여 국제연합총회에 제출하였다. 시민적 및 정치적 권리에 관한 국제 규약은 이와 같은 경위에서 B규약으로 약칭되며 또한 자유권규약이라고도 한다. 제21회 국제연합 총회에서 찬성 106, 반대 0으로 가결되었다.

이 B규약에 정해진 제 권리는 일반적으로 자유권 또는 자유권적 기본권이라고 하는 것이 대부분으로 18세기 이후의 인권선언에 거의 언급되어 있으며, 문명제국에서는 헌법 기타의 법률에 의해 보장되어 있다. 따라서 A규약과는 달리 B규약의 가입국은 그 관할지역 내에 있는 모든 개인에 대해 이 규약에 정해져 있는 제 권리를 존중, 보장할 책임을 지고 즉시 그것을 실시하도록 되어있다.

A · B 양 규약에 공통의 총칙, 민족자결권(1조)의 규정 외에 B규정이 정하고 있는 제 권리로서는 생명의 존중, 18세 미만인 자에 대한 사형과 임산부에 대한 사형집행의 금지(6조), 고문, 비인도적 치우의 형벌의 금지(7조), 노예, 강제 노동의 금지(8조), 자의적 강포구금의 금지(9조), 억류자의 인도적 처우(10조), 계약불이행을 이유로 하는 구류의 금지(11조), 이주 · 출국 · 귀국의 자유(12조), 외국인추방의 조건과 심사(13 조), 공정한 재판의 보장(14조), 형사법 불소급(15조), 법 앞의 사람으로서의 승인(16조), 사적 생활에 대한 개입금지(17조), 사상 · 양심 · 종교의 자유(18조), 표현 · 정보입수의 자유(19조), 적의선동의 금지(20조), 평화적 집회의 권리(21 조), 결사의 자유(22조), 가정 · 결혼의 보호(23 조), 아동보호(24조), 정치에 관여할 권리(25조), 법 앞의 평등(26조), 소수자의 보호(27조) 등이다.

B규약의 특징은 가입국에 이러한 인권의 보장을 의무화할 뿐만 아니라 개인에게 직접 인권을 보장하고 가입국의 국내 법제에 의한 수용에 의해 자력 집행적 효력을 부여한 점에 있다. 그 점은 조문

의 규정형식에도 나타나있다.

규약은 그 내용을 확보하기 위해 인권위원회(Human Rights Committee)를 설치하였다. 위원회는 임기 4년의 18명의 위원으로 구성되고 규약 체약국 회의가 9명씩 2교대로 위원을 선출한다. 그리고 실시를 위해 (1) 보고제도, (2) 국가통보 제도를 정하고 있다. (1) 우선 가입국은 이 규약의 실시상황을 가입 후 1년 이내, 이후는 위원회의 요청 시에 국제연합 사무총장에게 보고하도록 하고 사무총장은 인권위원회에 그것을 송부하고 위원회가 그것을 심사한다. (2) 그리고 자국에 대해 위원회의 심사권한을 규약 41조에 의해 받아들인다는 취지의 선언을 한 국가 상호간에서는 규약상의 인권을 침해하고 있는 국가가 있는 경우 다른 국가는 위원회에 그 사태를 통보하여 그 심사조정을 구할 수 있다. 그 외에 선택의정서에 의해 (3) 개인통보에 의한 심사의 길도 열려 있다.

- 출처 : 네이버 지식백과_21세기 정치학대사전, 정치학대사전편찬위원회

부록 3

경제적 · 사회적 및 문화적 권리에 관한 국제규약

[International Covenant on Economic , Social and Cultural Rights]

1966년 12월16일 국제연합 제21회 총회에서 채택되어 1976년 1월 3일 발효되었다. 한국은 1990년 7월 10일 발효되었다.

개인의 경제적 · 사회적 및 문화적 권리를 국제적으로 보장한 국제조약. 국제연합의 인권위원회는 세계인권선언의 작성과 그 채택에 이어 국제 조약의 형식 내용을 구비한 국제인권규약을 작성하였다. 1954년 제9회 국제연합총회의 결의에 의해 경제적 · 사회적 및 문화적 권리에 관한 규약 안(A안)과 시민적 · 정치적 권리에 관한 규약 안(B안)으로 구분하여 심의하고, 1954년 최종안을 작성하고 경제사회이사회를 통하여 국제연합총회에 제출하였다. '경제적 · 사회적 및 문화적 권리에 관한 국제규약'은 A안으로서 심의되어 있었기 때문에 A규약으로 약칭되고 또한 그 내용에 의해 '사회권 규약'이라고도 한다. 제21회 국제연합총회에서 찬성 105, 반대 없이 가결되었다.

경제적, 사회적, 문화적 제 권리는 시민적, 자유권적 인권과는 달리 생존권적 기본권, 사회적 기본권 등으로도 불리며, 사회국가의 이념에 기초하여 국가의 적극적인 관여에 의해 개인의 생존을 확보하여 행복한 생활의 실현을 도모하는 것이다. 따라서 시민적 및 정치적 권리에 관한 국제규약(B규약)과는 달리 A규약은 규약 가입국에 그 인권의 보장을 의무화하고 있지만 그 국내적 사정에 의해 점진적으로 실행하는 것을 예정하고 있다. 양 규약에 거의 공통의 총칙, 민족자결권(1조) 외에 A규약이 정하고 있는 제 권리는 노동할 권리, 기술적 · 직업적 지도 · 훈련계획, 완전하고 생산적인 고용(6조), 공정 · 안전 · 건강한 노동조건, 승진기회의 부여, 휴식 · 유급휴일의 보장(7조), 노동조합 및 그 연합체의 결성, 그것으로의 가입, 파업권(8조), 사회보장을 받을 권리(9조), 가정의 존중, 자유의사에 의한 결혼, 기아에서의 해방(11조), 신체적 · 정신적 건강, 의료의 보장(12조), 교육을 아직 실시하고 있지 않은 지역에 대해 구체적 실시계획을 2년 이내에 작성 채택한다는 약속(14조), 과학문화의 보존 · 발전 · 보급, 과학연구 · 창작활동의 자유의 존중, 과학적 · 문화적 · 예술적 창작품에서 발생한 이익의 보호, 과학적 · 문화적 국제협력(15조) 등이다.

이 규약의 가입국은 이들 권리를 국내에서 실현하기 위해 취한 조치와 상황을 국제연합 사무총장에게 보고하고 사무총장은 그 보고를 경제사회이사회에 송부한다. 경제사회이사회는 규약 가입국과 전문기구에서 얻은 정보의 개요를 첨부하여 총회에 보고하고 또한 적절한 국제적 조치를 취하기 위해 유용한 문제에 대해서는 국제연합의 다른 기관과 국제연합 전문기구에 대해 주의를 환기하도록 되어 있다(16~22조). 즉, A규약의 보고에 대해서는 B규약의 인권위원회와 같은 독립전문가로 구성된 위원회에 의한 심사를 예정하지 않으며, 경제사회이사회의 작업부회가 심사하고 그것 이외에 국가통보제도와 개인통보제도와 같은 실시조치를 예정하고 있지 않다. 1993년에 개최된 세계인권회의가 채택한 비엔나 선언의 행동계획은 A규약의 선택의정서의 검토계속을 기대하고, A규약에 명기된 권리실현의 진보상황을 확인하기 위한 수단의 검토를 요구하고 있다.

- 출처 : 네이버 지식백과_21세기 정치학대사전, 정치학대사전편찬위원

참고문헌

강양구 외(2020),「한번도 경험해보지 못한 나라」 천년의상상
노무현(2019),「진보의 미래」 돌베게
노회찬 외(2014),「대한민국 진보, 어디로 가는가?」 비아북
더불어민주당 '새로고침위원회'(2022), "이기는 민주당은 어떻게 가능한가"
더불어민주당 '김은경혁신위'(2023), "민주당 김은경 혁신안"
더불어민주당을지키는민생실천위원회(2023) 민주당 재집권전략보고서. 더봄
마이클 샌델(2020),「공정하다는 착각」 와이즈베리
매튜 A. 크렌슨,벤저민 긴스버그(2013),「다운사이징 데모크라시」후마니타스
문철수(2020), "조국 법무부장관 재임기간 언론의 보도 분석"
박상훈(2015),「정당의 발견」, 후마니타스
박세길(2018),「두 번째 프레임 전쟁이 온다」 추수밭
박세길(2020),「대전환기 프레임 혁명」 북바이북
박원순(1997),「국가보안법 연구」 역사비평사
박주현(2020), '조국사태' 보도에 있어서 언론의 이념성과 가차저널리즘과 의 관계 연구. 언론과학연구
손병관(2021),「비극의 탄생」 왕의서재
시민언론 민들레 (www.mindlenews.com)
신영복(2015),「담론」 돌베게
안병진(2019), "이행의 시대_조국,이철승을 넘어 조슈아 웡과 그레타 툰베리로" 동향과전망 107호
원승연 외(2021),「정책의 시간」 생각의힘
이경림 외(2020), '조국사태' 이후 문재인 정부 대입제도 개편을 다룬 신문 사설의 프레임 분석 연구. 교육사회학연구
조국(2021),「조국의 시간」 한길사
조국(2022),「가불 선진국」 메디치미디어
조국(2023),「디케의 눈물」 다산북스

조국, 오연호(2010), 「진보집권플랜」 오마이북
진상조사위원회(2023), "한겨레 윤리는 어디에서 실패했나?_편집국 간부의 돈거래사건 진상조사보고서"
진중권 외(2016), 「치유의 인문학」 위즈덤하우스
참여연대 사법감시센터(2023), "검사의 나라, 이제 1년_윤석열 정부 검찰 보고서 2023"
채진원(2019), "586 운동권 그룹의 유교적 습속에 대한 시론적 연구"
최병천(2020), 「좋은 불평등_자본주의 변동으로 보는 한국 불평등 30년」 메디치미디어
최윤규(2020), "정치적 갈등 이슈에 대한 지상파 방송사의 보도형태 및 정보원 편향성 연구_조국 검찰수사 보도를 중심으로"
한명숙(2021), 「한명숙의 진실」 생각생각